中华人民共和国电力行业标准

电力工程数字摄影测量规程

Code for digital photogrammetry
in electric power engineering

DL/T 5138—2014

代替 DL/T 5138—2001

主编部门:电力规划设计总院
批准部门:国 家 能 源 局
实施日期:2015年3月1日

中国计划出版社

2014 北 京

国家能源局

公告

2014年　第11号

依据《国家能源局关于印发〈能源领域行业标准化管理办法(试行)〉及实施细则的通知》(国能局科技〔2009〕52号)有关规定，经审查，国家能源局批准《压水堆核电厂用碳钢和低合金钢第17部分:主蒸汽系统用推制弯头》等330项行业标准，其中能源标准(NB)71项、电力标准(DL)122项和石油天然气标准(SY)137项，现予以发布。

附件:行业标准目录

国家能源局

2014年10月15日

附件:

行业标准目录

序号	标准编号	标准名称	代替标准	采标号	批准日期	实施日期
……						
171	DL/T 5138—2014	电力工程数字摄影测量规程	DL/T 5138—2001		2014-10-15	2015-03-01
……						

前　言

根据《国家能源局关于下达2012年第一批能源领域行业标准制（修）订计划的通知》（国能科技（2012）83号）的要求，标准编制组经过广泛调查研究，认真总结了近年来电力工程数字摄影测量的实践经验，吸收了该领域的有关科研和技术发展的成果，并在广泛征求意见的基础上，对原电力行业标准《架空送电线路航空摄影测量技术规程》DL/T 5138—2001进行了全面修订。

本标准修订后共有15章18个附录，主要技术内容包括：总则、术语与缩略语、基本规定、航空摄影、影像数据预处理、基础控制测量、像片控制测量、像片调绘、空中三角测量、数字高程模型建立、数字正射影像图制作、内业数字测图及检测与修正、三维辅助优化设计平台建立、地面摄影测量、资料整编及检查验收等。

本次修订的主要内容是：

1. 增加了数字摄影测量数据处理过程、厂站工程摄影测量、数码摄影、IMU/GNSS辅助摄影测量、低空摄影测量、数字高程模型建立、数字正射影像图制作、内业数据的检测与修正、三维辅助优化设计平台建立、地面摄影测量等内容。

2. 删去了线路测量中选线、定线、定位等工程测量内容。

3. “航空摄影”内容由原来的“航空摄影”调整为“高空摄影”、“低空摄影”，包括IMU/GNSS辅助摄影和数码摄影的内容；“平断面测绘”内容调整为“内业数字测图及检测与修正”，包括输电线路工程数字测图及其检测与修正和厂站工程数字测图及其检测与修正。

本标准自实施之日起，替代《架空送电线路航空摄影测量技术规程》DL/T 5138—2001。

本标准由国家能源局负责管理，电力规划设计总院提出，能源行业发电设计标准化技术委员会负责日常管理，中国电力工程顾问集团中南电力设计院负责具体内容的解释。执行过程中如有意见或建议，请寄送电力规划设计总院（地址：北京市西城区安德路65号，邮政编码：100120）。

本标准主编单位、参编单位、主要起草人和主要审查人：

主编单位： 中国电力工程顾问集团中南电力设计院

参编单位： 北京洛斯达科技发展有限公司
中国电力工程顾问集团西北电力设计院
河北省电力勘测设计研究院
山西省电力勘测设计院
贵州电力设计研究院
河南省电力勘测设计院

主要起草人： 程正逢　代宏柏　胡吉伦　曾渠丰
（以下按姓氏笔画为序）
王　宇　王　刚　王　瑞　石克勤　李少龙
宋志勇　张焕杰　周　勇　胡　勇　胡　博
赵祖军　徐　辉　陶　李　梁巧云　程　伟

主要审查人： 徐　健　王　盾　邓南文　姚麒麟　王圣祖
王海亮　邓加娜　曹玉明　谭国铨　王　聪
张从宝　陈伦清　康　鑫　常增亮　吉天翔
毛　克

目　　次

Contents

1 总　　则

1.0.1 为了适应电力工程数字摄影测量技术的发展,统一电力工程数字摄影测量的技术要求,做到技术先进、经济合理、质量可靠、安全适用,特制定本标准。

1.0.2 本标准适用于输变电工程、火力发电厂、可再生能源发电厂、核电站等电力工程建设各阶段的数字摄影测量工作。

1.0.3 本标准以中误差作为衡量精度的标准,以二倍中误差为极限误差。

1.0.4 摄影及测绘仪器、设备、工具应定期检校,加强维护保养,作业时应处于正常工作状态。用于作业的摄影及测绘仪器、设备、工具应在作业前进行检视或检测合格,检视或检测的记录应作为原始资料提交。测量中所使用的专业应用软件应经过鉴定或验证合格。

1.0.5 电力工程数字摄影测量工作除应符合本标准的规定外,尚应符合国家现行有关标准的规定。

2 术语与缩略语

2.1 术 语

2.1.1 数字摄影测量 digital photogrammetry

从影像记录存储到数据处理、成果输出整个过程均采用数字化形式进行的摄影测量。

2.1.2 高空摄影 high altitude aerial photography

利用有人驾驶飞机进行的空中摄影，通常情况下其相对航高大于1000m。

2.1.3 低空摄影 low altitude aerial photography

利用低空飞行器进行的空中摄影，通常情况下其相对航高小于1000m。

2.1.4 IMU/GNSS辅助航空摄影测量 IMU/GNSS supported photogrammetry

利用惯性导航技术和卫星定位技术，同时获取摄影瞬间摄影中心的位置参数及影像的姿态参数，辅助空中三角测量或测图的航空摄影测量技术。

2.1.5 地面基站 base station

在摄区内或摄区附近设立的，与机载GNSS接收机同步并连续采集GNSS观测数据的固定GNSS观测站。

2.1.6 曝光时标 event mark

在航摄仪曝光时，通过专门设备记录并写入数据流中快门开启脉冲信号。

2.1.7 检校场 calibration field

为建立IMU、GNSS设备自身量测坐标系与用户坐标系之间的相互关系，消除系统误差，在摄区内或摄区附近选取的航空摄影区域。

2.1.8 基高比　base-height ratio

摄影基线长度与相对航高之比。

2.1.9 数字影像　digital image

物体光辐射能量的数字记录形式或像片影像经采样量化后的二维数字灰度序列。

2.1.10 影像分辨率　image resolution

影像再现物体细部能力的一种度量。

2.1.11 地面分辨率　ground resolution

影像分辨率对应的地面尺寸。

2.1.12 偏心角　boresight misalignment angle

IMU 与航摄仪紧密固连后，IMU 的三个理想轴以摄影中心为原点，摄影主光轴方向为 Z 轴（天顶方向为正），X、Y 轴平行于像平面坐标系相应轴的右旋坐标系同名轴之间形成的夹角。

2.1.13 基础控制测量　basic control survey

为建立工程的首级控制网而进行的测量工作，包括平面控制测量和高程控制测量。本标准的基础控制是指为像片控制测量建立首级控制网，其控制点作为像片控制测量起算和闭合（附合）的控制点。

2.1.14 像片控制点　control point of photograh

直接为摄影测量加密或测图需要在实地测定坐标和高程的控制点，简称像控点。

2.1.15 控制像片　control photograph

实地测定像片控制点坐标、高程时判刺与标绘点位的像片和加密时选刺加密点的像片的统称。

2.1.16 像片控制测量　photograph control survey

为获得像片控制点的平面坐标和高程而进行的实地测量工作。

2.1.17 方位线　orienting line；heading line

立体像对上右(左)像主点在左(右)像片上的同名点与左右像主点的联线。

2.1.18 航线网 network of flight strip

空中三角测量中由单航线段作为计算单元,通过模型相对定向和模型连接建立的摄影测量网。

2.1.19 区域网 block

由若干相邻航线段联成整体的摄影测量网。

2.1.20 航向跨度 span along flight strip

同一航线内两点之间跨越像片基线的数量或实地距离间隔,分别称为航向基线跨度或航向距离跨度。

2.1.21 旁向跨度 span between flight strips

垂直于摄影航线方向,两点之间跨越摄影航线的数量或实地距离间隔,分别称为旁向航线跨度或旁向距离跨度。

2.1.22 构架航线 control strip

摄影测区内,为减少像片控制点的布设,加飞的较大比例尺若干条与测图航线交叉且近似垂直的航线。

2.1.23 数字空中三角测量 digital aerotriangulation;digital aerial triangulation

基于数字影像,采用影像匹配技术自动选取同名点,量测坐标的空中三角测量。

2.1.24 数字高程模型 digital elevation model

一定范围内,用一组有序数值阵列形式表示地面高程起伏的一种实体地面模型。

2.1.25 数字正射影像图 digital orthophoto map

经过正射投影改正的影像数据集。

2.1.26 元数据 metadata

关于数据的内容、质量、状况和其他特性的描述性数据。

2.1.27 三维辅助优化设计平台 three-dimension platform for assistant optimized design

在利用DOM、DEM建立的三维地理模型中进行输电线路路径及变电站、电厂选址的辅助设计优化工作的计算机应用平台。

2.1.28 线路坐标系 route coordinate system

以线路中心线为横坐标轴（X轴），以线路前进方向为正方向，以累距为X值；以垂直线路方向为纵坐标轴（Y轴），以偏距为Y值的右手坐标系。

2.1.29 树高线 height line of trees

输电线路平断面图中断面图上表示线路沿线树的高度的断面线。

2.1.30 房屋分布图 building distribution diagram

输电线路中用来表示线路中线两侧房屋及其附属设施的属地、位置、面积、户主、层数、建筑材料等信息的平面图。

2.1.31 断面修正控制点 control point for adjusting profile

为修正断面而实地测量的一些断面点，作为修正断面的依据，包括直线桩、塔位桩和其他实测的断面点。

2.1.32 地形修正控制点 control point for adjusting topographic map

为修正地形图而实地测量的一些地形点，作为修正地形图的依据。

2.1.33 线性插值 linear interpolation

利用野外实测断面点对航测断面点进行线性内插解算。

2.1.34 地面摄影测量 terrestrial photogrammetry

利用安置在地面上基线两端点处的摄影机向目标拍摄立体像对，对所摄目标进行测绘的技术。

2.2 缩 略 语

DEM(Digital Elevation Model) 数字高程模型

DOM(Digital Orthophoto Map) 数字正射影像图

DLG(Digital Line Graphic) 数字线划地图

IMU(Inertial Measurement Unit)	惯性测量单元
GNSS(Global Navigation Satellite System)	全球卫星导航系统
RTK(Real Time Kinematic)	实时动态
GSD(Ground Sampling Distance)	地面采样间隔
TIN(Triangulated Irregular Network)	不规则三角网
TIFF(Tagged Image File Format)	图像文件格式
TFW(TIFF World File)	TIFF 影像坐标信息的文本文件
WGS－84(World Geodetic System 1984)	1984 世界大地坐标系

3 基本规定

3.0.1 电力工程数字摄影测量作业前，应了解工程的要求，进行现场踏勘，并应收集、分析、检核和利用已有资料，制订经济合理的测量方案，编写技术设计书；作业中应加强工序质量控制；作业后应对测量成果进行检查验收。

3.0.2 电力工程数字摄影测量成果可根据需要生成数字线划地形图、数字正射影像图以及数字高程模型等。成果类型划分可按表3.0.2的规定执行。

表3.0.2 电力工程数字摄影测量成果类型划分

<table>
<tr><td>成果分类</td><td colspan="4">输电线路工程</td><td colspan="4">厂站工程</td></tr>
<tr><td rowspan="2">成果类型</td><td>平断面图</td><td>数字高程模型</td><td>正射影像图</td><td>数字三维模型</td><td>数字地形图</td><td>数字高程模型</td><td>正射影像图</td><td>管线、道路断面图</td></tr>
<tr><td colspan="8">特征几何数据、成果表、各种电子文件、技术报告</td></tr>
</table>

3.0.3 电力工程数字摄影测量的地形类别划分应根据地面倾角(α)或高差大小确定，并应符合表3.0.3的规定。

表3.0.3 地形类别划分

地形类别	平坦地	丘陵地	山地	高山地
倾角(α)	$\alpha<2^\circ$	$2^\circ\leqslant\alpha<6^\circ$	$6^\circ\leqslant\alpha<25^\circ$	$\alpha\geqslant25^\circ$
地面高差(m)	<50	50～100	100～300	$\geqslant300$

注：表内数据系对一个测区范围内大部分地面坡度倾角或高差而言的，地面坡度倾角与高差有不一致时，宜以地面坡度倾角为准。

3.0.4 航空摄影工作可在线路的路径方案或厂站址方案初审之后进行，也可在初步设计审查之后进行。

3.0.5 输电线路工程高空摄影宜采用单航线摄影方式进行，在路径方案选择困难和变电站、换流站进出线路密集地区也可采用区域摄影方式一并进行，低空摄影时宜采用区域摄影方式进行。厂站工程航空摄影宜采用区域摄影方式进行。

3.0.6 电力工程数字摄影测量的坐标系统宜采用现行国家大地坐标系，因工程需要可采用其他坐标系统。一个完整的电力工程宜使用一套坐标系统。选择坐标系统时应考虑投影长度变形，输电线路工程摄影测量投影长度变形不应大于10cm/km，厂站工程投影长度变形不应大于2.5cm/km。

3.0.7 电力工程数字摄影测量的高程系统宜采用现行国家高程基准，因工程需要可采用其他高程系统。在已有高程控制网的地区测量时，可沿用原有的高程系统。一个完整的电力工程宜使用一套高程系统。

3.0.8 采用数码航摄仪进行摄影时应根据成图比例尺的要求确定地面分辨率，采用胶片摄影时应根据成图比例尺的要求确定航摄像片比例尺。

3.0.9 电力工程数字摄影测量地形图基本等高距(h_d)的确定应符合表3.0.9的规定。

表3.0.9 地形图基本等高距(m)

地形类别	比例尺			
	1∶500	1∶1000	1∶2000	1∶5000
平坦地	0.5	0.5	1	2
丘陵地	0.5	1	2	5
山地	1	1	2	5
高山地	1	2	2	5

注：一个测区同一比例尺宜采用一种基本等高距。

3.0.10 电力工程数字摄影测量中应统一定义工程项目名称、测区名称、文件名命名规则和共用数据文件。

3.0.11 电力工程数字摄影测量地形图图上高程点测注每10cm×10cm方格内不应少于10点。当基本等高距为0.5m时，高程注记点应注记至0.01m；当基本等高距大于0.5m时，高程注记点应注记至0.1m。

3.0.12 电力工程数字摄影测量地形图图式和地形图要素分类代码的使用应符合下列要求：

1 地形图图式应符合现行国家标准《国家基本比例尺地图图式 第1部分：1∶500 1∶1000 1∶2000地形图图式》GB/T 20257.1和《国家基本比例尺地图图式 第2部分：1∶5000 1∶10000地形图图式》GB/T 20257.2的规定；

2 地形图要素分类代码应符合现行国家标准《基础地理信息要素分类与代码》GB/T 13923的规定；

3 对于图式和要素分类代码的不足部分可自行补充，并应予以说明。对于同一个工程或区域应采用相同的补充图式和补充要素分类代码。

4 航空摄影

4.1 一般规定

4.1.1 本章适用于高空摄影和低空摄影中各种存储介质的航空摄影(航摄)工作。

4.1.2 航摄影像资料的获取宜委托具有相应资质的航空摄影机构完成,也可利用满足要求的已有航摄资料。

4.1.3 航摄设计和验收过程中摄影基线、航线间隔、航摄分区平均高程平面(基准面)的高程、相对航高、像点位移、像片重叠度、相邻像片的曝光时间间隔、航线弯曲度、基高比等参数的计算方法应按本标准附录A的规定执行。

4.1.4 航摄鉴定表格式宜按本标准附录B的规定执行。

4.1.5 航摄地面标志形状和尺寸宜按本标准附录C的规定执行。

4.1.6 航摄资料移交书格式宜按本标准附录D的规定执行。

4.2 航摄计划与航摄设计

4.2.1 航摄计划宜包括下列内容:

1 成图比例尺、影像地面分辨率或航空摄影比例尺、基高比;

2 摄区范围及航摄分区;

3 航线敷设方法、像片的航向和旁向重叠度;

4 航摄分区基准面高程和相对航高;

5 航摄季节、时间和期限;

6 航摄仪类型、技术参数和附属仪器参数;

7 需提交航摄成果名称及数量;

8 其他技术要求。

4.2.2 航摄设计用图的选择宜符合下列规定：

1 宜收集摄区新近出版的基本比例尺地形图；

2 输电线路工程设计用图宜采用1∶50000地形图，厂站工程宜选择1∶10000地形图。

4.2.3 输电线路工程采用数码航空摄影时，地面分辨率不宜低于0.3m，基高比宜大于0.3；采用胶片航空摄影时，航空摄影比例尺应符合表4.2.3的规定。

表4.2.3 航摄比例尺要求

地形类别	航摄比例尺
平坦地、丘陵	1∶8000～1∶14000(f=152mm)
山区	1∶12000～1∶15000(f=152mm)
	1∶10000～1∶12000(f=210mm)
高山区	1∶10000～1∶14000(f=210mm)

注：f为焦距。

4.2.4 厂站工程航摄比例尺、地面分辨率和基高比的选择应符合下列规定：

1 数码摄影的基高比宜大于0.3；地面分辨率宜符合表4.2.4-1的规定；

表4.2.4-1 成图比例尺与地面分辨率关系表

成图比例尺	地面分辨率(m)
1∶500	<0.08
1∶1000	0.08～0.1
1∶2000	0.15～0.2
1∶5000	0.2～0.4

2　高空胶片摄影航摄比例尺应符合表4.2.4-2的规定。

表4.2.4-2　成图比例尺与航摄比例尺关系表

成图比例尺	航摄比例尺
1∶500	1∶2000～1∶3500
1∶1000	1∶3500～1∶7000
1∶2000	1∶7000～1∶14000
1∶5000	1∶10000～1∶20000

4.2.5　输电线路工程航摄分区、航线敷设应符合下列规定：

1　在1∶50000地形图上应按转角段划分航线，并设计航线段的起止点；

2　航线段内每一个转角点距离航带边缘的实地距离应大于400m；航线端点与最近的转角点的实际距离应大于1000m；

3　当线路测区范围内地形高差过大时，应采用分区摄影，摄影分区内地形高差不应大于相对航高的1/4；

4　航线应按输电线路路径方向敷设，航摄带宽不应小于2km；

5　采用IMU/GNSS辅助航空摄影时，每条航线直线飞行时间不应大于30min。

4.2.6　厂站工程航摄分区的划分应符合下列规定：

1　分区界线应与图廓线相一致；

2　同一分区内地形高差不应大于1/4相对航高；当摄影比例尺大于或等于1∶7000时，或地面分辨率小于或等于0.2m时，不应大于1/6相对航高；

3　当地形高差突变，地形特征差别显著或有特殊要求时，可以破图廓划分航摄分区。

4.2.7　厂站工程航线敷设方法应符合下列规定：

1　航线的敷设宜按东西方向平行于图廓线直线飞行，也可根据测区形状布设；

2　水域、海区航摄时，航线布设应尽可能避免像主点落水；应确保所有岛屿完整覆盖，并能构成立体像对；

3 荒漠、高山区隐蔽地区和测图控制作业特别困难地区，可以敷设构架航线，构架航线应根据测图控制的布点设计要求设置。

4.2.8 航摄分区基准面高程和相对航高应依据分区地形起伏、飞行安全条件等因素确定。

4.2.9 航摄季节和航摄时间的选择应符合下列规定：

1 航空摄影宜根据工程要求选择合适的航摄时间；

2 航摄应选择最有利的气象条件，避免或减少地表植被和积雪、云雾、洪水、扬沙等其他覆盖物对摄影的不利影响；

3 航摄时，应保证充足的光照度，避免阴影过大，航摄时间应符合表4.2.9规定。

表4.2.9 摄区太阳高度角和阴影倍数要求

地形类别	太阳高度角(°)	阴影倍数(倍)
平坦地	＞20	＜3
丘陵地及一般城镇	＞25	＜2.1
山地、高山地和大中城市	≥40	≤1.2

4.2.10 航摄仪的选择应符合下列规定：

1 根据摄区地形条件和成图精度要求，选择合适的航摄仪；

2 高空摄影数码航摄仪性能指标应符合表4.2.10-1规定；

表4.2.10-1 数码航摄仪性能指标要求

项目	要 求
内方位元素	可精确测定
镜头	综合分解力每毫米内不应少于40线对，单相机综合畸变差改正后残差应小于0.3个像素
波段	相机的全色波段和天然真彩色波段光谱响应范围应覆盖400nm～700nm，多光谱的近红外波段光谱响应的覆盖范围应覆盖700nm～900nm
探测器面阵	连续出现的坏点数不应多于4个，总坏点数不应大于总像素数的百万分之一
数据记录和存储	全色影像不应低于12bit，天然真彩色或多光谱影像每通道不应低于12bit；数据存储设备应满足一个满架次数据存储要求

3　高空摄影胶片航摄仪性能指标应符合表 4.2.10-2 的规定；

表 4.2.10-2　胶片航摄仪性能指标要求

项　　目	要　　求
像幅	230mm×230mm
有效使用面积内镜头分辨率	每毫米内不少于 25 线对
焦距	85mm～310mm
曝光时间	1/100s～1/1000s
色差校正范围	400nm～900nm
径向畸变差	焦距大于 90mm 时，不大于 0.015mm； 焦距小于或等于 90mm 时，不大于 0.02mm

4　低空数码摄影的相机镜头应为定焦镜头，且对焦无限远；镜头与相机机身以及相机机身与成像探测器应稳固连接；成像探测器面阵不应小于 2000 万像素；最高快门速度不应低于 1/1000s。

4.2.11　铺设航摄地面标志应符合下列规定：

1　地面标志应在正式航空摄影前铺设完毕，且妥善保护；

2　地面标志的数量应根据航摄需要确定；

3　地面标志的形状、规格应确保标志在航空影像上准确辨认和量测；

4　地面标志的颜色应根据摄区地形景物的光谱特性选定，应确保其与周围地面有良好的反差。

4.2.12　采用 IMU/GNSS 辅助航空摄影时，检校场的设计应符合以下规定：

1　检校场宜布设在摄区内，也可布设在摄区附近；摄区可布设一个或多个检校场；检校场的基准面应尽量与摄区基准面一致；

2　检校场的布设可采用 2 条航线方案，也可采用 4 条航线方案；采用 2 条连续对向飞行航线时，每条航线不宜少于 10 个像对，像片航向和旁向重叠度宜按 60%设计；采用 4 条连续对向飞行航线时，每条航线不宜少于6个像对；像片宜按航向重叠度60%、旁向重叠度不小于30%设计；

3 检校场航摄比例尺或地面分辨率应与摄区尽量接近；当采用直接定向法测图时，应每架次航摄检校场；当采用辅助定向法测图时，应至少航摄一次检校场；

4 当机载IMU/GNSS系统或者航摄仪发生外力碰撞、重新安装、气候变化较大或航摄间隔时间较长等情况，可能引起系统间相对空间关系发生变化时，应重新航摄检校场。

4.2.13 采用IMU/GNSS辅助航空摄影时，地面基站的设计应符合下列规定：

1 基站选址前，应收集测区1∶50000或更大比例尺地形图和已有控制资料，充分了解和研究测区地形、交通、通信、供电、气象等情况，设计摄区基站分布图；基站附近不应有强烈干扰卫星信号的干扰源或强烈反射卫星信号的物体；

2 基站选址应地基稳固，便于仪器架设和对中；基站位置选定后，应制作固定清晰的中心标识，制作点之记；

3 每一摄区基站数量不应少于2个；

4 输电线路工程摄区内任意一点与最近基站的距离不应大于100km；

5 厂站工程摄区内任意一点与最近基站的距离不应大于50km。

4.3 高空摄影

4.3.1 航摄前应向有关部门提交空域申请，并取得合法的空域许可，航空摄影作业应委托有相应资质航摄单位进行，执行航摄的飞行员应具有相应个人资格。

4.3.2 飞行质量应符合下列规定：

1 航向重叠度宜为60%～65%，个别最小不应小于56%，个别最大不应大于75%；旁向重叠度宜为30%～35%，最小不应小于 15%；

2 像片倾角不宜大于 2°，1∶500、1∶1000、1∶2000 测图最大不应大于 4°，1∶5000 测图最大不应大于 3°；

3 对于数码摄影，1∶500、1∶1000、1∶2000 测图旋偏角不宜大于 15°，在确保像片航向和旁向重叠度的前提下最大不应大于 25°；1∶5000 测图旋偏角不宜大于 10°，最大不应大于 15°；对于胶片摄影，旋偏角宜符合表 4.3.2 的规定。数码和胶片摄影在同一条航线上，连续达到或接近最大旋偏角的像片数都不应大于 3 片，在一个摄区内出现最大旋偏角的像片数不应大于摄区像片总数的 4%；

表 4.3.2 胶片摄影旋偏角要求

摄影比例尺分母	旋 偏 角
M>7000（航高大于 1200m 时）	不大于 6°，最大不大于 8°
7000≥M>3500	不大于 8°，最大不大于 10°
M≤3500	不大于 10°，最大不大于 12°

注：M 为摄影比例尺分母。

4 航空摄影航线弯曲度不宜大于 1%，最大不应大于 3%；

5 同一航线上相邻像片航高差不应大于 30m，最大航高和最小航高之差不应大于 50m，摄影分区内实际航高与设计航高之差不应大于 50m；当航高大于 1000m 时，实际航高与设计航高之差不应大于设计航高的 5%；

6 航向覆盖应超出摄区边界不少于一条基线，旁向覆盖应超出摄区边界不少于像幅的 30%；

7 线路航摄后的路径中心线距离像片边缘的实地距离应大于 400m；

8 航摄中出现的绝对漏洞和相对漏洞均应进行补摄，补摄应按原设计要求进行，且采用前一次航摄飞行的航摄仪；

9 每次飞行结束，应由摄影员填写航摄飞行记录表。

4.3.3 采用IMU/GNSS辅助航空摄影时，出现下列情况应进行补摄：

1 机载GNSS信号失锁，数据无记录造成摄站位置无法解算；

2 IMU数据记录中断、初始化不充分、IMU硬件松动等造成数据无法解算；

3 IMU/GNSS数据在曝光时刻的解算精度不满足要求时；

4 相机脉冲输出装置故障，致使一条航线上连续超过3片曝光时标信号丢失。

4.3.4 摄影质量应符合下列规定：

1 航摄底片或影像应清晰，层次丰富、反差适中、色调柔和，能辨认出与摄影比例尺相适应的细小地物影像；

2 底片或影像上的云、云影、大面积反光、污点、划痕、静电斑、折伤、脱胶等缺陷不应影响使用；

3 光学框标的影像和其他记录影像应清晰、齐全；

4 拼接影像无明显模糊、重影和移位现象；融合形成的高分辨率彩色影像不应出现明显色彩偏移、重影、模糊现象。

4.4 低空摄影

4.4.1 用于低空摄影的低空飞行器性能应稳定可靠，航摄前应制订相应的安全应急预案。当意外情况发生时，应即刻启动应急预案。参与无人机航摄作业的系统操作人员必须经过专业培训。

4.4.2 飞行质量应符合下列规定：

1 航向重叠度宜为60%～80%，最小不应小于53%；旁向重叠度宜为15%～60%，最小不应小于8%；

2 像片倾角不宜大于5°，最大不应大于12°，出现超过8°的片数不应多于总数的10%；对于特别困难地区，像片倾角不宜大于8°，最大不应大于15°，出现超过10°的片数不应多于总数的10%；

3　像片旋偏角不宜大于15°，在确保像片航向和旁向重叠度满足要求的情况下，个别旋偏角最大不应大于30°，在同一航线上旋偏角超过20°的像片数不应超过3片，超过15°的像片数不应超过分区像片总数的10%；

4　像片的倾角和旋偏角不应同时达到最大值；

5　航向覆盖应超出摄区边界线不少于2条基线，旁向覆盖应超出摄区边界线不少于像幅的50%；

6　同一航线上相邻像片的航高差不应大于30m，最大航高和最小航高之差不应大于50m，实际航高和设计航高之差不应大于50m；

7　航摄中的相对漏洞和绝对漏洞均应及时补摄，补摄应采用前一次航摄飞行的相机，补摄航线的两端应超出漏洞之外两条基线；

8　每次飞行结束应填写航摄飞行记录表。

4.4.3　摄影质量应符合下列规定：

1　影像应清晰，层次丰富，反差适中，色调柔和，应能辨认出与分辨率相适应的细小地物影像，能建立清晰的立体模型；

2　影像上不应有云、云影、烟、大面积反光、污点等缺陷；存在少量缺陷时，应以不影响立体量测为原则；

3　拼接影像应无明显模糊、重影和错位现象。

4.5　提交资料

4.5.1　航空摄影提交的资料应包括：

1　航空摄影原始底片或数据，晒印的像片或影像输出片；

2　摄区航线、像片索引图；

3　航摄仪鉴定表；

4　成果质量检查报告和航摄鉴定表；

5　航摄飞行记录表和航摄资料移交书；

6　其他有关资料。

4.5.2 基于 IMU/GNSS 辅助航空摄影提交资料除按本标准第 4.5.1 条的规定执行外，尚应包括以下内容：

1 IMU/GNSS 相关纸质文档、数据；

2 地面控制测量相关纸质文档、数据；

3 像控点和检查点刺点片。

5 影像数据预处理

5.1 一 般 规 定

5.1.1 航空摄影提交的资料成果应经验收合格后方可进行数据预处理。

5.1.2 影像预处理过程中应采取必要的技术措施，保证影像清晰、反差适中、色调正常，并应在影像处理过程中确保影像的几何精度。

5.1.3 IMU/GNSS 数据预处理应保证联合解算数据的平面、高程和速度偏差精度。

5.2 高空摄影影像预处理

5.2.1 数码摄影影像预处理应符合以下技术规定：

1 对数码摄影原始影像数据应进行辐射校正，补偿温度、光圈等其他辐射因素对图像带来的影响；

2 对数码摄影原始影像数据应进行几何校正。消除镜头畸变和倾斜变形，获取完整的中心投影影像；

3 数码影像应影像清晰，层次清楚，颜色饱和，色调均匀，反差适中，不偏色，能辨别出地面上最暗处的影像细节，色斑、大面积坏点不得超过 9 个像元。必要时应进行匀光匀色处理。

5.2.2 胶片摄影影像晒印处理应符合以下技术规定：

1 感光材料的型号和药液配方应根据摄影底片的反差情况正确选取。显影液温度宜为 18℃～22℃，定影液与显影液温差不宜超过 5℃；

2 晒印时，晒像材料的机械方向应与底片的机械方向垂直；供调绘用的放大片，其邻片间的影像应有适当重叠；

3 定影和水洗的时间应充分，并应防止药膜变软、影像漂移。

流动水洗时间宜为30min；

4 晒印片应整片感光均匀，层次丰富；影像蒙翳值应小于0.2，反差应为0.9±0.3；药膜表面不平度应小于0.02mm；影像的框标应清晰、完整、齐全。

5.2.3 胶片摄影影像扫描处理应符合以下技术规定：

1 应使用原始底片，正置，药膜面朝下；

2 扫描仪参数的确定应符合表5.2.3的规定；

表5.2.3 扫描仪参数要求

扫描仪参数	要求
几何精度	≤±2μm
最小光学分辨率	7μm
辐射分辨率	≥8bit
光学密度	0.1D～3.3D
动态范围	≥2.5D
最小输出像素大小	7μm
最小有效扫描面积	235mm×235mm

3 实际扫描分辨率$R_{像}$应按下式计算：

$$R_{像} \leqslant 0.8 \times \Delta h \times b / H \tag{5.2.3}$$

式中：$R_{像}$——影像扫描分辨率，取整数（μm）；

Δh——要求达到的高程精度（加密点高程中误差限值）（m）；

b——航向平均重叠度的像片基线长度（μm）；

H——平均相对航高（m）。

4 扫描分辨率不应小于21μm，扫描仪应定期进行校准检验，检验中误差X和Y方向均不应大于2μm；

5 黑白影像辐射分辨率不应小于8bit，灰度直方图基本呈正态分布，影像反差适中，色调基本一致，纹理清楚，层次丰富；

6 彩色影像辐射分辨率不应小于12bit；色彩信息不失真，无偏色，幅与幅之间色调基本一致；

7 框标应完整、清晰；

8 扫描影像数据宜采用无压缩的 TIFF 格式存储。

5.3 低空摄影影像预处理

5.3.1 原始数据进行数据格式转换时应减少几何信息和辐射信息损失。

5.3.2 原始影像数据应进行畸变差改正，应采用专用软件改正相机畸变差，或在空中三角测量时改正相机畸变差。

5.3.3 影像反差较小时，可对原始数据进行图像增强处理，使影像直方图分布均匀。

5.4 IMU/GNSS 数据预处理

5.4.1 IMU/GNSS 原始观测数据应进行预处理，分离 GNSS 观测数据、IMU 记录数据和曝光时标数据。

5.4.2 IMU 数据与 GNSS 数据应进行联合处理，解算出每张像片的 6 个外方位元素，并利用偏心角和线元素偏移值改正摄区每张像片的位置和姿态，外方位元素应转换至工程坐标系。

5.4.3 输电线路工程宜采用差分 GNSS 定位，IMU 和 GNSS 数据联合解算的平面位置偏差不应大于 0.1m，高程位置偏差不应大于 0.4m，速度偏差不应大于 0.5m/s。

5.4.4 厂站工程应采用差分 GNSS 定位，IMU 和 GNSS 数据联合解算的平面、高程和速度偏差限值应按表 5.4.4 的规定取值。

表 5.4.4 IMU 和 GNSS 数据联合解算偏差限值

成图比例尺	平面偏差限值(m)	高程偏差限值(m)	速度偏差限值(m/s)
1∶500	0.08	0.3	0.4
1∶1000	0.08	0.3	0.4
1∶2000	0.1	0.4	0.5
1∶5000	0.1	0.4	0.5

5.4.5 输电线路工程应对检校场进行空中三角测量，计算偏心角以及线元素偏移值。线元素偏移值平面中误差不应大于1.0m，线元素偏移值高程中误差不应大于0.8m，侧滚角、俯仰角、航偏角中误差不应大于0.03°。

5.4.6 厂站工程应对检校场进行空中三角测量，计算偏心角以及线元素偏移值。偏心角及线元素偏移值的解算中误差不应大于表5.4.6的规定。

表5.4.6 偏心角及线元素偏移值中误差限值

成图比例尺	线元素偏移值平面中误差限值(m)	线元素偏移值高程中误差限值(m)	偏心角侧滚角、俯仰角中误差限差(°)	偏心角航偏角中误差限差(°)
1∶500	0.5	0.5	0.03	0.02
1∶1000	0.5	0.5	0.03	0.02
1∶2000	1.0	0.8	0.03	0.03
1∶5000	1.0	0.8	0.03	0.03

5.5 提交资料

5.5.1 高空数码摄影影像预处理后，宜提交下列资料：

1 数码影像数据；

2 像片2套；

3 移交清单；

4 其他有关资料。

5.5.2 低空数码摄影影像预处理后，宜提交下列资料：

1 曝光点坐标文件及姿态参数文件；

2 畸变差改正后的影像数据；

3 影像镶嵌略图2套；

4 移交清单；

5 其他有关资料。

5.5.3 IMU/GNSS 数据预处理后，宜提交下列资料：

1 像片外方位元素成果数据；

2 移交清单；

3 其他有关资料。

5.5.4 胶片摄影影像预处理后，宜提交下列资料：

1 扫描数字化影像；

2 像片 2 套；

3 移交清单；

4 其他有关资料。

6 基础控制测量

6.1 一 般 规 定

6.1.1 基础控制网布设应遵循全面规划、因地制宜、经济合理、考虑发展的原则。

6.1.2 基础控制网平面控制点与高程控制点宜布置为共点，控制点埋设规格宜按本标准附录 E 的规定执行。

6.1.3 输电线路工程基础控制网宜采用 GNSS 测量方法建立。

6.1.4 厂站工程基础控制网中平面控制网宜采用 GNSS 测量或导线(网)测量方法建立。

6.1.5 厂站工程基础控制网中高程控制网宜采用水准测量、三角高程测量或 GNSS 测量方法建立。

6.1.6 基础控制网控制点应设置明显标识，并绘制点之记，点之记格式宜按本标准附录 F 的规定执行。

6.2 输电线路工程基础控制测量

6.2.1 GNSS 基础控制网应根据测区实际需要和交通情况布置，控制点间距离不应大于 10km。基础控制网控制点应埋设固定桩。

6.2.2 GNSS 基础控制网平面测量精度，最弱边相对中误差不应大于 1/20000；高程测量精度，每千米大地高差中误差不应大于 15mm。

6.2.3 GNSS 基础控制网应与国家平面和高程控制点联测，联测点数分别不应少于 3 个。若线路较长，宜在线路起止端联测国家平面控制点，并应每隔不大于 100km 联测 1 个国家控制点。联测的国家高程控制点宜均匀分布且能控制全网。

6.2.4 GNSS基础控制网应与线路连接的变电站控制点联测，各变电站联测点数不宜少于2个，并分别求出各变电站与线路基础控制网间坐标、高程系统的转换关系。

6.2.5 线路跨越江、河、湖泊时，应联测水文资料高程系统与线路高程系统之间的关系，并将水文资料转换至线路高程系统后标注到平断面图上。

6.2.6 IMU/GNSS辅助航空摄影的地面基站应作为基础控制网控制点埋设和测量，其精度要求应满足本标准第6.2.2条的要求。

6.3 厂站工程基础控制测量

6.3.1 厂站工程基础控制网宜与工程的首级控制网一同布设。

6.3.2 平面控制网的精度等级按GNSS测量和导线测量分别划分。GNSS测量控制网依次分为三等、四等和一级、二级；导线及导线网依次分为四等和一级、二级、三级。各等级平面控制网均可作为测区的基础控制。当测区范围大于0.5km^{2}时，基础控制网等级不应低于二级。

6.3.3 GNSS测量平面控制网的主要技术指标应符合表6.3.3的规定。

表6.3.3 GNSS测量平面控制网的主要技术指标

等级	仪器固定误差 A(mm)	仪器比例误差系数 B(mm/km)	约束点间的边长相对中误差	约束平差后最弱边相对中误差
三等	≤10	≤5	≤1/150000	≤1/70000
四等	≤10	≤10	≤1/100000	≤1/40000
一级	≤10	≤20	≤1/40000	≤1/20000
二级	≤10	≤40	≤1/20000	≤1/10000

6.3.4 导线测量平面控制网的主要技术指标应符合表6.3.4的规定。

表 6.3.4 导线测量的主要技术指标

等级	导线长度（km）	平均边长（km）	测角中误差（″）	方位角闭合差（″）	测距中误差（mm）	测距相对中误差	测回数			导线全长相对闭合差
							1″级仪器	2″级仪器	6″级仪器	
四等	9	1.5	2.5	$5\sqrt{n}$	18	1/80000	4	6	—	1/35000
一级	4	0.5	5	$10\sqrt{n}$	15	1/30000	—	2	4	1/15000
二级	2.4	0.25	8	$16\sqrt{n}$	15	1/14000	—	1	3	1/10000
三级	1.2	0.1	12	$24\sqrt{n}$	15	1/7000	—	1	2	1/5000

注：n 为测站数。

6.3.5 高程控制网的精度等级按水准测量、三角高程测量和GNSS测量可划分为四等、五等。各等级高程控制网均可作为测区的基础控制。

6.3.6 水准测量的主要技术要求应符合表6.3.6的规定。

表 6.3.6 水准测量的主要技术要求

等级	每千米高差全中误差（mm）	水准仪型号	水准尺	观测次数		往返较差、附合或环形闭合差（mm）	
				与已知点联测	附合或环形	平地	山地
四等	10	DS3	双面	往返各一次	往一次	$\leqslant 20\sqrt{L}$	$\leqslant 6\sqrt{n}$
五等	15	DS3	单面	往返各一次	往一次	$\leqslant 30\sqrt{L}$	—

注：L 为往返测段、附合或环线水准路线长度，单位为km；n 为测站数。

6.3.7 三角高程测量宜在平面控制网的基础上布设成三角高程网或附合线路。

6.3.8 三角高程测量的主要技术要求应符合表6.3.8的规定。

表 6.3.8 三角高程测量的主要技术要求

等级	每千米高差全中误差(mm)	观测方式		往返观测高差较差(mm)	附合或环形闭合差(mm)
		垂直角	边长		
四等	10	对向观测	对向观测	$40\sqrt{S}$	$20\sqrt{\sum S}$
五等	15		单向观测	$60\sqrt{S}$	$30\sqrt{\sum S}$

注：S为测距边长度，单位km。

6.3.9 GNSS高程控制测量宜与GNSS平面控制测量同步进行，主要技术要求应符合表6.3.9的规定。

表 6.3.9 GNSS高程测量的主要技术要求

等级	每千米高差全中误差(mm)	接收机标称精度	基线观测总数/必要观测基线数	复测基线高差较差(mm)	附合或环形高差闭合差(mm)
四等	10	双频 $\leqslant 5mm+5\times10^{-6}D$	≥1.6	$\leqslant 2\sqrt{2}\sigma$	$\leqslant 2\sqrt{n}\sigma$
五等	15	双频 $\leqslant 10mm+5\times10^{-6}D$	≥1.5		

注：D为基线长度，单位mm；σ为基线测量中误差，采用接收机的标称精度和平均边长计算，单位mm；n为附合或最简闭合环边数。

6.4 提 交 资 料

6.4.1 输电线路工程和厂站工程基础控制测量完成后，应提交以下资料：

1 基础控制测量计算书。

2 基础控制测量技术报告。

3 基础控制点点之记。

7 像片控制测量

7.1 一般规定

7.1.1 输电线路工程高空摄影像片控制点相对于邻近基础控制点的平面点位中误差不应大于0.2m，高程中误差不应大于0.1m。

7.1.2 厂站工程高空摄影像片像控点相对于相邻基础控制点的点位中误差不应大于图上0.1mm，高程中误差不应大于测图基本等高距的1/10。

7.1.3 像片控制点在像片上的布点位置应符合下列规定：

1 像片控制点距像片的各类标志应大于1mm；

2 像片控制点距胶片摄影的像片边缘应大于15mm，距数码摄影的像片边缘应大于5mm；

3 像片控制点宜布设在航向三度重叠范围内和旁向重叠中线附近，测段起、末或困难地区可布设在航向二度重叠范围内；

4 像片控制点不宜选在旋偏角较大、航摄比例尺相差过大、大片云影、阴影、落水的像对上；

5 单航线像片控制点离开方位线距离不宜小于像幅高度的1/5，困难地区可不受方位线远近的限制，但上、下像片控制点的距离不应小于像幅高度的1/2；

6 区域网布点时，当旁向重叠度过大，不能满足上述要求时，上、下航线应分别布点；当旁向重叠度过小，像片控制点在相邻航线不能共用时，应分别布点，此时控制范围在像片上裂开的垂直距离不应大于1cm。当条件受限制时，也不得大于2cm；

7 航区或分区接合处像片控制点的布设应选在接合处两侧

航线的重叠范围内，邻区像片控制点宜公用；当像片控制点不能公用时，应分别布点；

8 像片控制点点位应能满足 GNSS 观测条件；

9 位于自由图边、待成图边的像片控制点应布设在图廓线外。

7.1.4 特殊情况下的像片控制点布设应满足以下要求：

1 当航向重叠小于 56%产生航摄漏洞时应分别布点，并对漏洞处用野外测图方法补测；

2 旁向重叠小于 15%时，应分别布点。当选定的控制点离开像片边缘大于 1cm，且重叠部分影像清晰，其范围内无重要地物时，除应分别布点外，还应在重叠部分加测 2 个～3 个高程点，否则重叠不足部分处应采用野外测图方法补测；

3 当像主点或标准点位处于水域内，或被云影、阴影、雪影等覆盖以及其他原因使影像不清，或无明显地物时，当落水范围的大小和位置尚不影响立体模型连接时，可按正常航线布点。当像主点附近 3cm 范围内选不出明显目标，或航向三度重叠范围内选不出连接点时，落水像对应采用全野外布设像控点。当旁向标准点位落水，且在离开方位线 4cm 以外的航向三度重叠范围内选不出连接点时，落水像对应采用全野外布设像控点。

7.1.5 像片控制点应与测区基础控制网联测，平面和高程系统应与测区基础控制网采用的系统保持一致。

7.1.6 单航线像片控制点编号宜采用航带号加流水号的方式编写，区域网像片控制点编号宜采用分区号加流水号的方式编写。

7.1.7 像片控制点测量宜采用 GNSS 测量方法。

7.2 输电线路工程高空摄影像片控制点布设

7.2.1 输电线路工程高空摄影像片控制点宜采用单航线法布点（见图 7.2.1-1）、航线网法布点（见图 7.2.1-2）。

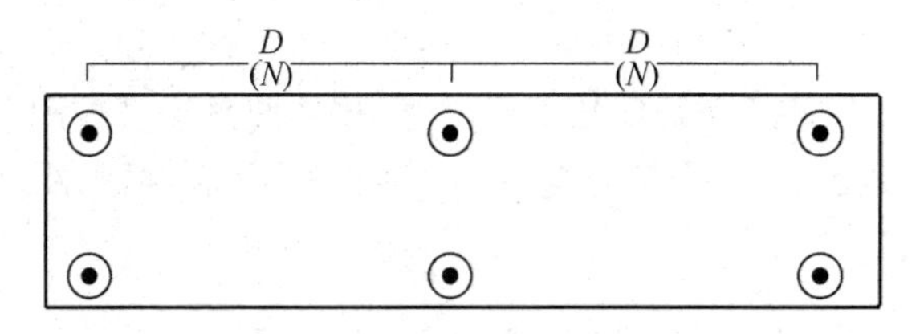

图 7.2.1-1 单航线法布点图

⊙——平高控制点；D——航向距离跨度；N——航向基线跨度

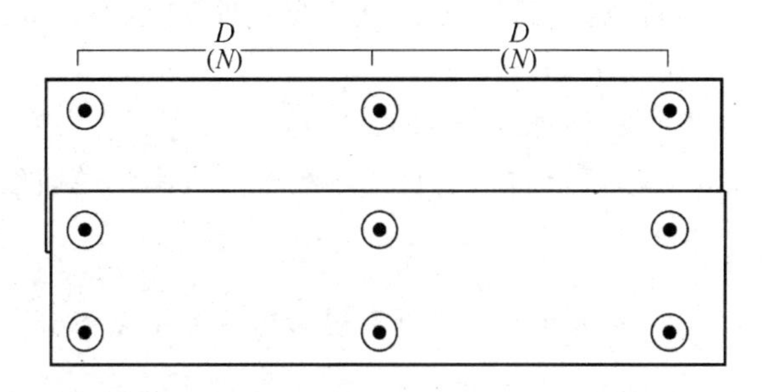

图 7.2.1-2 航线网法布点图

⊙——平高控制点；D——航向距离跨度；N——航向基线跨度

7.2.2 单航线法布点应在航线首末两端各布设1对平高控制点，中间根据航线长度均匀布设若干对平高控制点，每条航线的平高像片控制点个数不应少于6个。在两条航线的结合处宜布设公共像片控制点，当无法布设公共像片控制点时，应分别布点。

7.2.3 单航线法布点的每条航线的首末两端上下两控制点点位应布设在通过像主点且垂直于方位线的直线上，困难地区互相偏离不得大于半条基线。上下对点应布设在同一立体像对内。

7.2.4 单航线平高控制点可采用距离间隔跨度法或基线间隔跨度法进行布设，并应符合下列规定：

1 按距离间隔跨度法布点时，数码摄影每相邻两对平高控制点之间的航向距离跨度（D）值宜为5km～7km；胶片摄影每相邻两对平高控制点之间的航向距离跨度（D）值宜为 4km～6km；

2 按基线间隔跨度法布点时，每相邻两对平高控制点之间的航向基线跨度不宜大于按式 7.2.4 计算的 N 值，最大航向基线跨度不应大于 N 加 2。

$$N=\frac{D}{B_{X}} \tag{7.2.4}$$

式中：N——航向基线跨度；

D——航向距离跨度（m），数码摄影时 D 取 6000m，胶片摄影时 D 取 5000m；

B_{X}——实地上的摄影基线长度（m）。

7.2.5 采用航线网法布点的每条航线布点应满足单航线法布点的要求。

7.3 输电线路工程低空摄影像片控制点布设

7.3.1 采用单航线布点时，应在航线首末两端各布设 1 对平高控制点，中间根据航线长度等分布设若干对平高控制点。相邻两对平高控制点间的航向基线跨度宜为 10 条～15 条基线，最大不宜超过 20 条基线。

7.3.2 采用区域网布点时，应在航线首末两端各布设 1 排平高控制点，中间根据航线长度等分布设若干排平高控制点。相邻两对平高控制点间的航向基线跨度宜为 10 条～15 条基线，最大不宜超过 20 条基线。相邻平高控制点旁向航线跨度宜为 2 条～4 条航线。

7.3.3 每一航线或区域网分区内应布设 3 个及以上平高检查点，并均匀分布于测区内。

7.4 输电线路工程 IMU/GNSS 辅助摄影像片控制点布设

7.4.1 检校场布设宜采用 2 条航线方案。每个检校场布设像控点不应少于6个，像控点间隔不应超过3条基线，点位位于像片标准点位处，在像控点区域内布设不少于2个平高点作为检核。

7.4.2 检校场像控点、检查点点位应可清晰成像、能精确定位、GNSS测量方便，且位于像片成像的重叠区。当经测区踏勘发现无法选取满足上述要求的点位时，应在正式航空摄影前布设人工标志，并采取措施确保航摄期间标志完好。

7.4.3 像片控制点在航线上的布设宜采用5点法，即航线首末两端各布设1对平高控制点，航线中间位置布设1个平高控制点。

7.5 厂站工程高空摄影像片控制点布设

7.5.1 厂站工程高空摄影像片控制测量宜根据测区作业实际情况及作业设备情况，选择全野外布点法、航线网布点法、区域网布点法中的一种或两种相结合的布设方案。

7.5.2 1∶500地形图平地、丘陵地宜采用全野外法布设平高控制点，1∶1000、1∶2000地形图平地宜采用全野外法布设高程控制点。

7.5.3 全野外布设像片控制点应符合下列规定：

1 每个立体像对应布设4个平高控制点；当采用数码摄影航摄比例尺分母/成图比例尺分母大于6、胶片摄影航摄比例尺分母/成图比例尺分母大于4时，应在像主点附近各增加1个平高控制点；

2 当控制点的平面位置由内业加密完成，高程由全野外施测时，本条第1款增加的平高控制点可改为高程控制点。

7.5.4 航线网布设像片控制点应符合下列规定：

1 航线网法布点(见图7.5.4)应在每条航线首末两端各布设1对平高控制点，中间根据航线长度均匀布设若干对平高控制点，每条航线的平高像片控制点个数不应少于6个。在两条航线的结合处宜布设公共像片控制点，当无法布设公共像片控制点时，应分别布点；

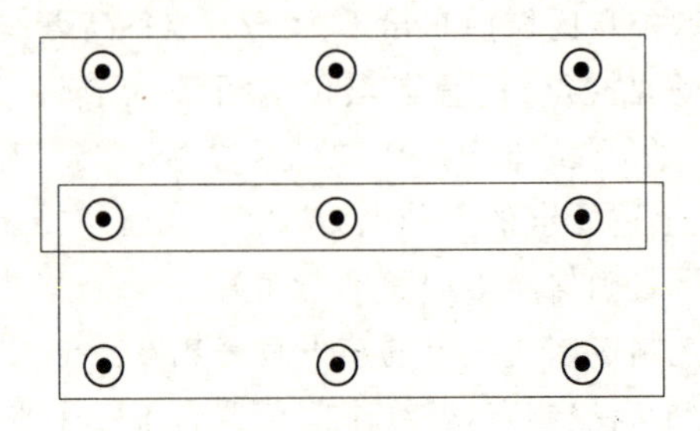

图 7.5.4 航线网布点图

⊙——平高控制点

2 对数码航影像，每相邻两对平高控制点之间的航向跨度应符合本标准附录 G 的规定。对胶片航摄影影像，每相邻两对平高控制点之间的航向跨度应符合本标准附录 H 的规定；

3 航线首末上下两控制点宜布设在通过像主点且垂直于方位线的直线上，相互偏离不应超过 1/2 条基线，上下两控制点应在同一立体像对内；

4 航线中间的每对平高控制点左右偏离不应超过 1 条基线，并避免上下两点同时往一侧偏离。

7.5.5 根据航摄仪的具体情况，数码航摄影像区域网法控制点布设应符合下列规定：

1 区域网的图形宜呈矩形或方形。区域网包含的航线数不应超过表 7.5.5 的规定；

表 7.5.5 区域网航线数

成图比例尺	航 线 数
1∶500	6～8
1∶1000	6～8
1∶2000	3～6
1∶5000	3～4

2　平高控制点宜采用周边布点法，根据情况宜采用周边 6 点法（见图 7.5.5-1）或周边 8 点法（见图 7.5.5-2）布设；

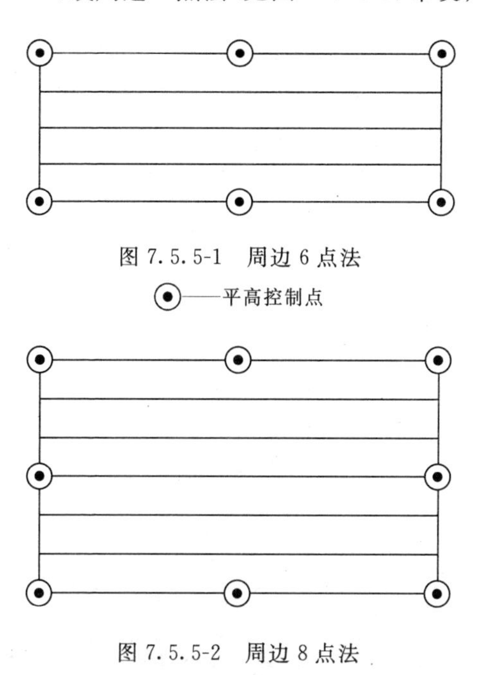

图 7.5.5-1　周边 6 点法

⊙——平高控制点

图 7.5.5-2　周边 8 点法

⊙——平高控制点

3　相邻平高控制点间的旁向航线跨度不应大于 4 条航线，相邻两对平高控制点的航向跨度应符合本标准附录 G 的规定；

4　高程控制点宜采用横条竖排的网格布点法，在每条航线首末两端上下分别布设 1 个高程控制点；

5　高程控制点间旁向航线跨度应为 1～2，高程控制点间航向跨度应符合本标准附录 G 的规定；

6　因受地形条件限制时，可采用不规则区域网布点。不规则区域网在凸角转折处应布设平高点，凹角转折处应布设高程点（见图 7.5.4-3）。当凹角点和凸角点之间的距离超过两条基线时，凹角点处也应布设平高控制点（见图 7.5.4-4）。区域周围两控制点间沿航向方向的跨度超过7条基线时，应在中间补加1个高程控制点。

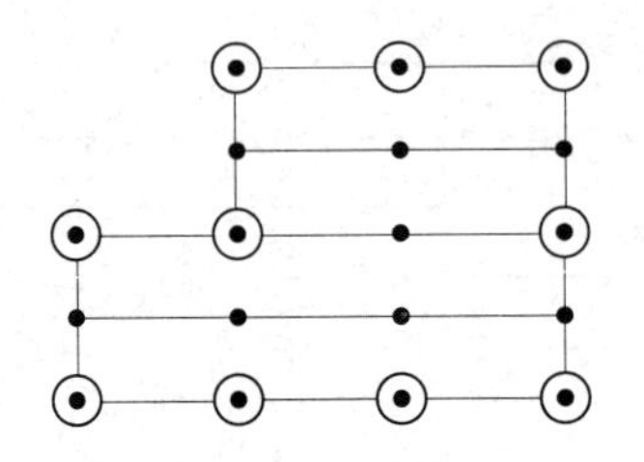

图 7.5.5-3 不规则区域网布点图(一)

◉——平高控制点；●——高程控制点

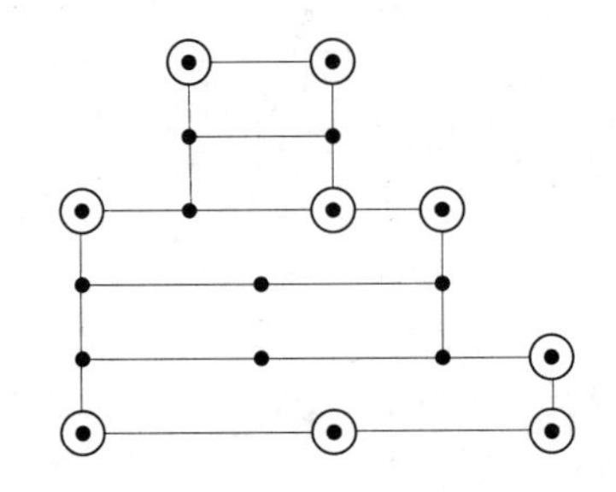

图 7.5.5-4 不规则区域网布点图(二)

◉——平高控制点；●——高程控制点

7.5.6 胶片航摄区域网布点应符合下列规定：

1 区域网的图形宜呈矩形或方形。区域网包含的航线数不应超过表7.5.6的规定；

表 7.5.6 区域网航线数

成图比例尺	航 线 数
1∶500	4～5
1∶1000	4～6
1∶2000	2～4
1∶5000	2～4

2 相邻平高控制点间的旁向航线跨度不宜大于 4 条航线；平高控制间点的航向基线跨度应符合本标准附录 H 的规定；

3 高程控制点采用横条竖排的网格布点法，在每条航线首尾两端上下分别布设 1 个高程控制点；

4 高程控制点间的旁向航线跨度为 1；高程控制间点的航向基线跨度应符合本标准附录 H 的规定。

7.6 厂站工程低空摄影像片控制点布设

7.6.1 采用区域网布点时，应在航线首末两端各布设 1 排平高控制点，中间根据航线长度等分布设若干排平高控制点。平高控制点跨度根据成图比例尺确定，宜符合表 7.6.1 的规定。

表 7.6.1 平高控制点跨度

成图比例尺	相邻控制点航向基线跨度	相邻控制点旁向航线跨度
1∶1000	6～8	2～3
1∶2000	8～10	2～4
1∶5000	10～12	2～4

7.6.2 区域网内应布设若干检查点。每幅图内不应少于 1 个平高检查点，并均匀分布于测区内。

7.6.3 平地、丘陵地通过缩小像片控制点跨度后，空中三角测量结果仍不能达到相应比例尺成图的精度要求时，宜采用平面或高程全野外控制布点。

7.7 厂站工程 IMU/GNSS 辅助摄影像片控制点布设

7.7.1 检校场布设宜采用 4 条航线方案。每个检校场布设像控点不应少于 9 个，像控点间隔不应超过 3 条基线，点位位于像片标准点位处，在像控点区域内布设不少于 2 个平高点作为检核。

7.7.2 厂站工程应根据摄区面积划分加密分区大小。每个加密分区宜选取 4 条～5 条航线，每条航线不宜超过 20 张像片。

7.7.3 厂站工程区域网采用四角布点法，即在区域网四个角点处布设平高控制点，四角宜采用双点布设，平坦地区区域网中根据需要加布高程控制点；当布设构架航线时，可适当减少控制点数量。

7.8 像片控制点选刺与整饰

7.8.1 像片控制点的选刺应符合下列要求：

1 平面控制点应选在影像清晰且交角良好的固定地物交角处或影像小于0.2mm的点状地物中心，且点位地面平坦，高程变化较小；

2 高程控制点应选在高程不易变化且各相邻像片上影像清晰的目标点上。当点位选在高出或低于地面的屋顶、围墙、陡坎等地物上时，应量出其与地面的比高，注至厘米，并详细绘出点位略图和断面图；

3 平高控制点的点位目标应同时满足平面和高程控制点对刺点目标的要求；

4 像片控制点应选刺在便于GNSS架站、观测的点位上，且点位实地的辨认精度不应大于0.1mm；

5 像片控制点刺点应刺透，平面点和平高点的刺点误差不应大于像片上0.1mm，不应出现双孔；

6 三角点、水准点、导线点及其他埋石控制点宜刺在航片上，并应绘制点位略图，量注控制点标志与地面的比高应精确至1cm。

7.8.2 像片控制点刺点的整饰应符合下列要求：

1 控制片的刺点应在正面整饰，航线间公用像片控制点应在相邻航线基本片上转标，并应标注出刺点航线号和像片号，当非同一摄影分区时，前面应加分区号；

2 控制片反面整饰应在选点现场完成，刺点片的反面需加注简要的点位说明，并加绘点位略图或剖面图；当精度要求较高时，可对点位拍摄；点位说明和点位略图指示方位时，应以像片号字头标定上、下、左、右，并使孔位、点位、说明、略图相一致；

3 控制片的整饰格式应按本标准附录J的规定执行。

7.9 像片控制点测量

7.9.1 像片控制点平面高程测量宜与基础控制测量同期完成，但像片控制点测量和基础控制测量应分开单独进行平差计算。

7.9.2 输电线路工程像片控制点采用 GNSS 静态测量时，像片控制点距离起算的基础控制点的距离不宜大于 7km。

7.9.3 输电线路工程像片控制测量当采用快速静态方法测量时，采用单频或半波长接收机测量时，每个时段观测时间不应小于 45min；采用双频或全波长接收机测量时，每个时段观测时间不应小于 20min。

7.9.4 像片控制点测量采用 GNSS 测量时，宜布设同步环或异步环测量，基线解算后应进行同步环和异步环闭合差校核，同步环和异步环校核应符合下列要求：

1 多台接收机同步观测会产生三边同步环，在处理各边观测值后，应检查全部三边同步环闭合差。其三边同步环坐标差分量闭合差应符合下列公式的要求：

$$W_X \leqslant \frac{\sqrt{3}}{5} \times \sigma \tag{7.9.4-1}$$

$$W_Y \leqslant \frac{\sqrt{3}}{5} \times \sigma \tag{7.9.4-2}$$

$$W_Z \leqslant \frac{\sqrt{3}}{5} \times \sigma \tag{7.9.4-3}$$

$$W_S = \sqrt{W_X{}^2 + W_Y{}^2 + W_Z{}^2} \leqslant \frac{3}{5}\sigma \tag{7.9.4-4}$$

式中：W_X——三边同步环纵向坐标闭合差(m)；

W_Y——三边同步环横向坐标闭合差(m)；

W_Z——三边同步环竖向坐标闭合差(m)；

W_S——三边同步环全长闭合差(m)；

σ——取同步闭合环平均弦长值按接收机标称精度计算的弦长中误差(m)。

2 当由若干个独立观测边组成异步环闭合环时，应进行校核。各坐标差分量闭合差应符合下列公式要求：

$$W_X \leqslant 3\sqrt{n} \times \sigma \tag{7.9.4-5}$$

$$W_Y \leqslant 3\sqrt{n} \times \sigma \tag{7.9.4-6}$$

$$W_Z \leqslant 3\sqrt{n} \times \sigma \tag{7.9.4-7}$$

$$W_S = \sqrt{W_X{}^2 + W_Y{}^2 + W_Z{}^2} \leqslant 3\sqrt{3n}\,\sigma \tag{7.9.4-8}$$

式中：W_X——异步闭合环纵向坐标闭合差(m)；

W_Y——异步闭合环横向坐标闭合差(m)；

W_Z——异步闭合环竖向坐标闭合差(m)；

W_S——异步闭合环全长闭合差(m)；

n——组成异步闭合环中的边数(m)；

σ——取异步闭合环平均弦长值按接收机标称精度计算的弦长中误差(m)。

7.9.5 当采用GNSS测量时，应随时注意GNSS接收机卫星信号和信息存储情况，并填写GNSS外业观测手簿。当接收和存储出现异常时，应随时进行调整，必要时应及时通知其他接收机以调整观测计划。同时应符合下列规定：

1 每时段观测宜在观测前后分别量取天线高，量至毫米，两次天线高之差不应大于3mm，并取平均值作为天线高；

2 观测期间，不得在接收机附近50m内使用电台、10m内使用对讲机或接通手机；

3 在GNSS快速静态或静态作业模式测量中，同一观测单元期间各个GNSS接收机的采样间隔宜相同，不能变更；

4 同一观测时段过程中不应进行自测试、改变卫星截止高度角、改变数据采样间隔、改变天线位置；

5 每日观测结束后，应将接收机内存的数据文件传送到计算机内或转录到外存介质上。外业观测数据文件应拷贝,并一式两份,不得进行任何剔除和删改。

7.9.6 同一条边任意两个时段的成果互差应小于 GNSS 接收机标称精度的 $2\sqrt{2}$倍。

7.9.7 当发现观测数据不能满足要求时,应对 GNSS 成果进行全面分析,并对不满足要求的数据进行补测或重测。

7.9.8 进行像片控制点平差计算前,应根据实际需要选定起算数据,并对起算数据的可靠性及精度进行检查分析。

7.9.9 像片控制点测量可采用单基准站 RTK 和网络 RTK 两种方法测量,有条件采用网络 RTK 测量的地区,宜优先采用网络 RTK 技术测量。

7.9.10 采用 RTK 测量像片控制点时,应符合下列要求:

1 采用单基准站测量时,像片控制点距离基准站的距离不应大于 5km,观测次数不应小于 2 次,起算点等级应在基础控制二级点及其以上;采用网络 RTK 测量时,可不受流动站到基准站的限制,但应在网络有效服务范围内;

2 测区坐标系统的转换参数应采用不少于 3 个点的高等级起算点解算,起算点应分布均匀,且能控制测区范围;不得采用现场点校正的方法解算;

3 RTK 像片控制点测量平面坐标转换残差不应大于 2cm,高程拟合残差不应大于 1/12 基本等高距;

4 数据采集器设置控制点的单次观测的平面收敛精度不应大于 2cm,高程收敛精度不应大于 3cm;

5 RTK 像片控制点测量时,每次观测历元数不应少于 20 个,采样间隔 2s~5s,各次测量的平面坐标较差不应大于 4cm,各次测量的大地高较差不应大于 4cm,各次结果取中数作为最后成果。

7.9.11 采用 RTK 测量像片控制点时,测量流动站应符合下列技术要求:

1 网络 RTK 的流动站应获得系统服务的授权；

2 网络 RTK 的流动站应在有效服务区域内，并实现与服务控制中心的数据通信；

3 观测开始前应对仪器进行初始化，并获得固定解；

4 每次观测之间流动站应重新初始化；

5 作业过程中，如出现卫星信号失锁，应重新初始化，并经重合点检测合格后才能继续作业；

6 每次作业前或重新架设基准站后，应进行至少 1 个同等级或高等级已知点的检核，平面坐标较差不应大于 7cm，同一点进行 2 次测量时高程较差不应大于 4cm。

7.10 提 交 资 料

7.10.1 像片控制测量成果整理应符合下列要求：

1 平面、高程测量观测、计算手簿应按控制网装订成册，按任务区上交，邻区转抄成果应注明源计算手簿编号；

2 控制片应以加密区域为单元，采用图号配合航线序号、像片序号等进行编号。

7.10.2 像片控制测量完成后，应提交以下资料：

1 已知点成果表；

2 平面、高程控制测量观测手簿和计算书；

3 控制像片、像片控制点成果表、像片控制点分布略图；

4 像片控制测量技术设计书、技术总结、质量检查报告、像片控制测量仪器检定资料。

8 像片调绘

8.1 一般规定

8.1.1 像片调绘工作宜采用室内判绘、野外调绘及仪器实测相结合的方式进行。

8.1.2 室内判绘应采用立体观察、影像识别等手段，对难以判读准确的地物、地貌应实地调绘。对于新增地物、变化地形和其他影响工程方案的重要地物的调绘宜采用仪器实测配合进行。

8.1.3 像片调绘应做到判读准确、描绘清楚、位置正确、图式符号运用恰当、各种注记准确无误、清晰易读。像片上地物、地貌的类别和性质应通过实地调绘确定。

8.1.4 调绘信息宜标注在航摄像片、镶嵌图、正射影像图、地形图或像片打印图等调绘图上。调绘完成后调绘图上应由调绘者、检查者签署姓名和日期。

8.1.5 现场调绘当涉及军事禁区、保密单位等时，应当执行国家军事设施保护法律、保密规定或其他相关法律法规。

8.2 输电线路工程像片调绘

8.2.1 输电线路工程的像片调绘工作可按路径调绘和详细调绘两个阶段进行。

8.2.2 外业调绘前，应充分利用前期线路路径图、小比例尺地形图等资料，在调绘图上转绘线路路径、地理名称和前期已调查的影响线路的其他地物名称等，为外业调绘做好准备。

8.2.3 路径调绘应在路径优化前或与像片控制测量工作同步进行，路径调绘应主要包括影响路径走向的地物和地貌，路径调绘的范围宜为线路路径左右各 300m。

8.2.4 线路路径300m外存在对线路路径有重要影响的地物时，如炸药库、采石场、矿坑、油库、加油站、电视发射台、无线电塔站、飞机导航台、地震监测站、军事设施等，应配合设计专业人员调查其范围和性质。

8.2.5 详细调绘可在线路路径确定后、终勘前或与终勘工作同时进行；详细调绘的范围对于500kV以上等级线路为路径左右75m内，500kV及以下等级线路为路径左右50m内。

8.2.6 详细调绘应主要包括影响线路杆塔排位、线路安全及线路造价的各种地物，具体应包括以下内容和要素：

1 平面调绘：各类建构筑物、交叉跨越电力线和通信线及地下管线、道路、水系等的名称、等级、材质、用途、走向等属性信息；

2 高度调绘：建（构）筑物、交叉跨越点及杆塔的高度。

8.2.7 平面详细调绘的方法宜采用实地调查和仪器实测方法，高度详细调绘宜采取仪器实测的方法。

8.2.8 详细调绘应符合以下规定：

1 对交叉跨越或平行接近的架空电力线应在调绘图标明电压等级，并标出杆高；对电压35kV及以上的电力线，应现场实测出路径附近的杆塔高，并标注杆塔编号和杆塔型式，必要时测量线路跨越点的高度；

2 对交叉跨越的架空通信线应在调绘片上标注其类型、等级、杆型、杆高；

3 地面上有明显标志的地下电缆、地下光缆、油气管道和其他地下管线应在调绘片上标注其类别及位置；地面上无明显标志的应配合设计专业人员实地调查；

4 架空索道、架空水渠等地物应在调绘片上标注其位置及高度；

5 对交叉跨越的公路和铁路应标注名称、通向及跨越点的里程；对交叉跨越的通航江河应标注出名称、流向，宜标注跨越点航道里程；

6 对于一、二级通信线及地下电缆、油气管道等与线路的交叉角，当难以判断是否接近临界值时应实测；

7 对线路走廊范围内的果园、苗圃等经济作物和森林应在调绘图上标出范围、类别名称、树种、胸径及高度等；

8 对于线路附近的宗教建筑设施和民俗建筑与林木，以及宗教场所、文物古迹的范围应调绘标注。

8.2.9 对地物的调绘应注意其拆除或新增的变化情况。航摄后拆除的建(构)筑物应在调绘图上进行标识；对新增地物可根据新增地物与四周明显点的相对位置关系，补充调绘在调绘图上，并在调绘图背面绘制略图和注记相对位置关系数据。

8.3 厂站工程像片调绘

8.3.1 厂站工程的像片调绘工作，其调绘范围应覆盖并略大于测图范围。

8.3.2 调绘前应收集和分析有关资料，根据测区地形情况、地物稀疏和复杂程度等因素，宜采用先内业测图后外业调绘、对照的形式；也可采用综合判读调绘法。

8.3.3 调绘应包括以下内容和要素：

1 各等级电力线、通信线的等级、名称等；

2 地面及架空管线、地下电缆、地下管道的标桩、名称、输送物质等；

3 等级公路、铁路的名称、道路材质、通向等；道路附属设施如桥、涵、里程碑等的名称；

4 各种地上建(构)筑物名称、用途、材质、房屋层数等和垣栅；

5 水系及附属设施；

6 独立地物如烟囱、水塔、路标、水井、广告牌、无线电发射塔、独立坟、宗教设施与地物的性质、名称等；坟群中坟头的数量；

7 林地、经济作物的种类和范围；林地的树种、所属林场等；

8 居民地、城镇街道、厂矿企业、学校、医院、山沟、河流、水库、沟渠和道路等名称；

9 地貌和土质，包括不能用等高线反映的天然或人工地貌元素，以及各种天然形成和人工修筑的坡、坎等。

8.3.4 调绘工作应符合以下规定：

1 各种数字和文字注记以及符号、线型等应按现行地形图图式表示，常用的、重复次数频繁的符号可简化，大面积的植被可采用文字注记；

2 地物、地貌的综合取舍应满足设计用图要求。同一位置不能同时按实际位置描绘两种以上符号时，则应分清主次或将次要的移位表示，但移位后的地物、地貌，其相对位置不应改变；

3 工矿企业、城镇、电力排灌区等电力线、通信线较多时，调绘可综合取舍。居民地内的低压线以及通往乡村的地上通信线可不表示；当同一杆上有多种线路时可只表示主要线路。电杆、铁塔和工矿区的管道支架等杆位影像模糊时要逐杆调绘，杆位影像清楚时可只调转点。电力线调绘区的变压器应逐个调绘；

4 地面上有明显标志的地下电缆、地下光缆、油气管道和其他地下管线应在调绘片上标注其类别及位置；地面上无明显标志的，应配合设计专业人员实地调查。

8.3.5 调绘时应对新增地物和隐蔽地物进行补调，需补调的地物较多时，应把范围圈出并加注说明，待内业成图后再用其他办法补测；航摄后拆除的地物，应在调绘图上用红色“×”划去，范围较大时应加以说明。

8.4 提交资料

8.4.1 输电线路工程调绘工作完成后应提交以下资料：

1 调绘像片、调绘像片结合图或其他调绘图；

2 交叉跨越及其他高度测量的观测手簿和计算成果等；

3 调绘报告或说明。

8.4.2 厂站工程调绘工作完成后应提交以下资料：

1 调绘像片、调绘像片结合图或其他调绘图；

2 调绘报告或说明。

9 空中三角测量

9.1 一 般 规 定

9.1.1 空中三角测量应使用数字摄影测量系统。

9.1.2 进行空中三角测量前宜取得下列资料：

1 航摄仪鉴定表；

2 航摄资料检查验收报告；

3 影像数据文件；

4 像片索引图；

5 像片外方位元素成果数据；

6 控制像片及控制测量成果；

7 调绘像片及调绘相关成果；

8 像片控制与调绘报告；

9 地形图资料及测区有关的控制成果资料。

9.1.3 对各类资料应进行检查、分析。在确认能满足内业加密和测图的要求后方可使用。

9.2 内 定 向

9.2.1 数码航摄影像内定向应无残差；扫描数字化航摄影像内定向框标坐标残差绝对值不宜大于0.010mm，最大不应超过0.015mm。

9.2.2 内定向超限时，应分析原因，采取重测、重新扫描影像、采用自检校平差消除像点量测坐标的系统误差等补救措施。

9.2.3 框幅式数码航摄仪获取的影像进行内定向时，应按照航摄仪鉴定资料确定其影像坐标系统的方向定义，正确使用焦距、像素大小、像素行列数、像素值参考位置等参数。

9.2.4 扫描数字化航摄影像进行内定向时，应按照航摄仪鉴定资料确定航摄仪像主点、物镜畸变、飞行方向与像主点偏移方向的差异等，正确使用焦距、像主点位置、框标坐标或距离、物镜畸变差等参数。

9.3 相对定向

9.3.1 相对定向连接点点位(图 9.3.1)应均匀分布，每个标准点位均应有连接点。自动相对定向时，每个像对连接点数目不宜少于 30 个，人工相对定向时，每个标准点位不宜少于 2 个连接点，且上、下排应均匀分布。

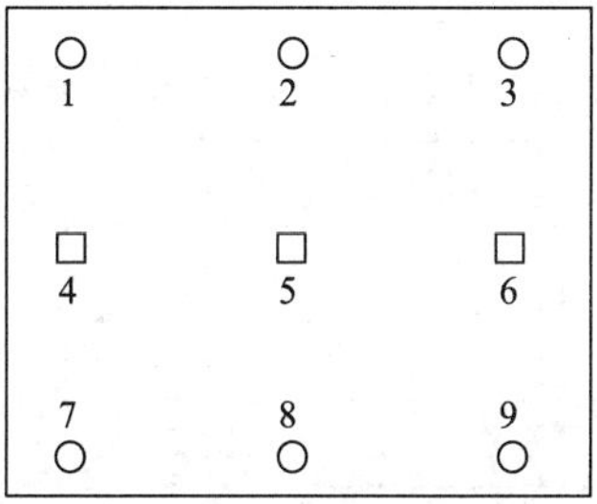

○1 ○2 ○3

□4 □5 □6

○7 ○8 ○9

图 9.3.1 连接点点位布置图

□——像主点；○——连接点

9.3.2 连接点点位的选择应符合下列规定：

1 连接点应选在本片和邻片影像均清晰、易于量测的地面明显点上，不应选在阴影和变形过大的地方；

2 航向连接点宜 3 度重叠，旁向连接点宜 6 度重叠；

3 标准点位区落水时，应沿水涯线均匀选择连接点；

4 自由图边在图廓线以外应有连接点；

5 扫描数字化航摄影像，连接点距离影像边缘应大于 1.5cm；数码航摄影像，在精确改正畸变差的基础上，连接点距离影像边缘应大于 1mm。

9.3.3 人工选择用于航线初始连接的连接点时，应符合下列规定：

1 相邻航线之间不应少于2个航线连接点，宜选择在航线首末两端；航带间航偏角变化较大的航带应增加航线连接点数量；

2 航线较长时，宜每隔10张～12张像片选择1个航线连接点；

3 交叉航线，在两个航线的公共区域，不应少于3个航线连接点，且不应分布在一条直线上。

9.3.4 自动航线连接时，宜获取摄站点坐标或像片外方位元素等辅助参数，并正确使用GNSS天线分量、IMU偏心角以及线元素偏移值。

9.3.5 相对定向连接点上下视差限值应符合表9.3.5的规定。

表9.3.5 相对定向连接点上下视差限值

影像类型	连接点上下视差中误差	连接点上下视差最大残差
高空数码航摄影像	1/3像素	2/3像素
低空数码航摄影像	2/3像素	4/3像素
扫描数字化航摄影像	0.01mm(1/2像素)	0.02mm(1像素)

注：沙漠、戈壁、沼泽、森林等特殊困难地区可放宽0.5倍。

9.3.6 数码航摄影像模型连接较差限值应按下列公式计算：

$$\Delta S = 0.03 \times M_{像} \times 10^{-3} \quad (9.3.6\text{-}1)$$

$$\Delta Z = 0.02 \times \frac{M_{像} \times f_{k}}{b} \times 10^{-3} \quad (9.3.6\text{-}2)$$

式中：ΔS——平面位置较差(m)；

ΔZ——高程较差(m)；

$M_{像}$——像片比例尺分母；

f_{k}——航摄仪焦距(mm)；

b——像片基线长度(mm)。

9.3.7 扫描数字化航摄影像模型连接较差的限值宜取本标准公式(9.3.6-1)和(9.3.6-2)相应计算值的2倍。

9.4 绝对定向与平差计算

9.4.1 平差计算时宜采用光束法平差，并对连接点、像片控制点进行粗差检测，剔除或修测粗差点。

9.4.2 输电线路工程影像平差计算后，连接点相对于最近野外控制点的平面点位中误差不应大于表9.4.2的规定。

表9.4.2 输电线路工程连接点相对于最近野外控制点的平面点位中误差(m)

区域类型	点位中误差
一般地区	0.80
城镇建筑区	0.60

9.4.3 输电线路工程影像平差计算后，连接点相对于最近野外控制点的高程中误差不应大于表9.4.3的规定。

表9.4.3 输电线路工程连接点相对于最近野外控制点的高程中误差(m)

地形类别	高程中误差
平坦地	0.30
丘陵地	0.50
山地	0.50
高山地	0.80

注：隐蔽地区测图可放宽0.5倍。

9.4.4 厂站工程影像平差计算后，连接点相对于最近野外控制点的平面点位中误差不应大于表9.4.4的规定。

表9.4.4 厂站工程连接点相对于最近野外控制点的平面点位中误差(m)

区域类型	点位中误差
一般地区	$0.4M\times10^{-3}$
城镇建筑区	$0.3M\times10^{-3}$

注：1 M为测图比例尺分母。

2 沙漠、戈壁、沼泽、森林等特殊困难地区可放宽0.5倍。

9.4.5 厂站工程影像平差计算后,连接点相对于最近野外控制点的高程中误差不应大于表9.4.5的规定。

表9.4.5 厂站工程连接点相对于最近野外控制点的高程中误差(m)

地形类别	高程中误差
平坦地	$0.3h_d$
丘陵地	
山地	$0.5h_d$
高山地	

注:1 h_d为基本等高距。

2 隐蔽地区测图可放宽0.5倍。

9.4.6 影像平差计算后,基本定向点残差为连接点中误差的0.75倍,检查点中误差为连接点中误差的1.0倍,区域网间公共点较差为连接点中误差的2.0倍。

9.4.7 检查点的平面中误差、高程中误差应按下式计算:

$$m_1 = \pm\sqrt{\sum_{i=1}^{n}(\Delta_i\Delta_i)/n} \tag{9.4.7}$$

式中:m_1——检查点中误差(m);

Δ——检查点野外实测值与解算值的较差(m);

n——参与评定精度的检查点数。

9.4.8 区域网之间公共点的平面中误差、高程中误差应按下式计算:

$$m_2 = \pm\sqrt{\sum_{i=1}^{n}(\delta_i\delta_i)/n} \tag{9.4.8}$$

式中:m_2——公共点中误差(m);

δ——区域网之间公共点较差(m);

n——参与评定精度的点数。

9.4.9 IMU/GNSS辅助空中三角测量和GNSS辅助空中三角测量宜采用预处理后的像片外方位元素联合平差。

9.5 提 交 资 料

9.5.1 空中三角测量作业完成后，应进行质量检查，通过验收后宜提交下列资料：

1 成果清单；

2 连接点或测图定向点像片坐标和大地坐标；

3 每张像片的内、外方位元素；

4 空中三角测量报告；

5 其他有关资料。

10 数字高程模型建立

10.1 一般规定

10.1.1 本章适用于采用数字摄影测量法确定1∶500、1∶1000、1∶2000、1∶5000、1∶10000比例尺输电线路工程和厂站工程数字高程模型数据。

10.1.2 DEM成果的精度用格网点的高程中误差表示，高程中误差应按下式计算：

$$m_{\mathrm{h}} = \pm\sqrt{\sum_{i=1}^{n}(\Delta_i\Delta_i)/n} \tag{10.1.2}$$

式中：m_{h}——高程中误差(m)；

Δ——高程较差(m)；

n——检查点点数。

10.1.3 DEM镶嵌时，重叠部分应超过2个格网，重叠部分的同名点高程较差不超限时应取其平均值。

10.1.4 DEM数据存储应按由西向东、由北向南的顺序排列。数据格式宜按现行国家标准《地理空间数据交换格式》GB/T 17798的相关规定执行。

10.2 输电线路工程数字高程模型建立

10.2.1 输电线路工程DEM成果格网间距不应大于5m，高程取值到0.1m。

10.2.2 输电线路工程DEM精度宜按三级划分，不同精度等级DEM高程中误差应符合表10.2.2的规定。

10.2.3 输电线路设计边线范围内的DEM精度应满足一级精度要求，线路两侧100m范围内精度不宜低于二级，其他区域不宜低于三级。

表 10.2.2 输电线路工程数字高程模型高程中误差

地形类别	高程中误差(m)		
	一级	二级	三级
平坦地	0.40	0.50	0.75
丘陵地	0.50	0.70	1.05
山地	1.20	1.50	2.25
高山地	1.50	2.00	3.00

10.2.4 输电线路工程宜采用影像相关生成 DEM。在进行影像相关前应检查空中三角测量成果并量测特征点线。

10.2.5 通过影像相关生成的 DEM 应进行检查编辑。DEM 编辑可按下列方法进行：

1 通过将 DEM 与影像立体模型叠加，检查自动生成的匹配点和人工采集的特征点线，对较差大于格网点高程中误差 2 倍的点进行编辑；

2 添加断裂线、边界线等特征点线修正 DEM；

3 对水域、森林覆盖等区域，勾绘区域范围，对设定区域范围内的 DEM 进行编辑。

10.2.6 输电线路工程 DEM 数据输出宜按航线分别输出。

10.3 厂站工程数字高程模型建立

10.3.1 厂站工程 DEM 成果采用的格网间距宜符合表 10.3.1 的规定。

表 10.3.1 数字高程模型的格网间距

比例尺	1∶500	1∶1000	1∶2000	1∶5000	1∶10000
格网尺寸(m)	2.50			5.00	

10.3.2 厂站工程 DEM 高程中误差应符合表 10.3.2 规定。1∶500～1∶2000 比例尺 DEM 的高程取值到 0.01m，1∶5000～1∶10000比例尺 DEM 的高程取值到 0.1m。

表 10.3.2 数字高程模型精度指标（m）

比例尺	地形类别			
	平坦地	丘陵地	山地	高山地
1∶500	0.20	0.40	0.50	0.70
1∶1000	0.20	0.50	0.70	1.50
1∶2000	0.40	0.50	1.20	1.50
1∶5000	0.50	1.20	2.50	4.00
1∶10000	0.50	1.20	2.50	5.00

10.3.3 厂站工程DEM生成宜采用数字线划图构建三角网内插DEM。

10.3.4 厂站工程DEM的精度评定应采用外业实测的方法测量检查点，检查点与模型插值点较差不应大于表10.3.2中DEM高程中误差的2倍。

10.4 提交资料

10.4.1 输电线路工程提交的成果资料宜包括以下内容：

1 DEM数据文件和DEM元数据文件；

2 DEM文件与航带之间的对应关系表；

3 其他有关资料。

10.4.2 厂站工程提交的成品资料宜包括以下内容：

1 DEM数据文件和DEM元数据文件；

2 DEM范围与厂站工程范围的对应关系；

3 精度检查报告；

4 其他有关资料。

11 数字正射影像图制作

11.1 一 般 规 定

11.1.1 本章适用于采用数字摄影测量法制作1∶1000、1∶2000、1∶5000、1∶10000比例尺输电线路工程和厂站工程数字正射影像图。

11.1.2 制作DOM使用的影像资料可通过航空摄影方法取得或利用已有航摄影像。利用已有航摄影像时，影像的质量和现势性应满足工程需要。

11.1.3 DOM地面分辨率应符合表11.1.3的规定。

表11.1.3 DOM地面分辨率

比 例 尺	地面分辨率(m)
1∶1000	≤0.10
1∶2000	≤0.20
1∶5000	≤0.50
1∶10000	≤1.00

11.1.4 平坦地、丘陵DOM的平面位置中误差不应大于图上0.6mm，山地、高山地DOM的平面位置中误差不应大于图上0.8mm。

11.1.5 DOM全色影像灰阶不应低于8bit，DOM彩色影像灰阶不应低于24bit，灰度直方图应基本呈正态分布。

11.1.6 DOM影像应反差适中、色调均匀、纹理清楚、层次丰富，无明显失真。DOM应避免出现因为影像缺陷而造成的影像信息无法判读和精度损失。

11.1.7 DOM成果应在数据体文件头或单独的文件中包含影像的定位点坐标信息，DOM存储格式应选用标准的影像格式存储。

11.2 正 射 纠 正

11.2.1 数字影像纠正过程中影像重采样可采用最邻近像元法、双线性内插法或双三次卷积内插法。

11.2.2 数字影像纠正过程中宜使用相应格网间距的数字高程模型数据对左、右片同时纠正,也可对左片或右片单独进行正射纠正。

11.2.3 用于数字正射影像图影像几何纠正的数字高程模型应满足本标准表10.3.2中规定的精度要求。特别困难地区,也可选用精度放宽一倍的DEM进行影像纠正。

11.2.4 纠正范围宜选取像片的中心部分,同时保证像片之间有足够的重叠区域进行镶嵌。

11.2.5 正射纠正后应检查像片数字正射影像的影像质量,对影像模糊、错位、扭曲、变形、漏洞等问题应分析原因,进行处理。

11.3 正射影像镶嵌与裁切

11.3.1 相邻像片的数字正射影像应检查镶嵌的接边精度,正射影像镶嵌的接边误差不应大于2个像元,接边后不应出现影像裂隙或影像模糊现象。

11.3.2 应按图幅范围选取需要镶嵌的正射影像,在相邻影像之间选绘、编辑镶嵌线,在选绘镶嵌线时,需保证所镶嵌的地物影像完整。

11.3.3 镶嵌线附近的影像宜保持色调一致、反差适中、过渡自然、纹理清晰,图面上不应留有明显拼接痕迹。

11.3.4 图幅裁切应按内图廓线最小外接矩形范围,或根据设计要求对镶嵌好的正射影像数据进行裁切。

11.4 正射影像图的整饰

11.4.1 DOM宜包含与工程相关的基础控制点资料、调绘资料、线路路径资料、规划区资料、风景区资料、自然保护区资料、矿区资料等内容。

11.4.2 注记在DOM上的数字和文字应清晰易读，不压盖主要地物。

11.4.3 图廓整饰的主要内容宜包括图名、图号、图幅结合表、密级、内外图廓线、坐标格网及注记，影像情况及资料获取时间、制作单位、坐标系、高程系、制作时间、比例尺等。

11.4.4 DOM成果应进行质量检查。质量检查的内容主要包括空间参考系、精度、影像质量、逻辑一致性和附件质量等。

11.4.5 整饰后正射影像图的格式宜符合本标准附录K的要求。

11.5 提交资料

11.5.1 提交的DOM成果资料宜包括以下内容：

1 DOM数据文件；

2 DOM数据文件结合表；

3 质量检查记录；

4 技术总结报告；

5 其他有关资料。

12 内业数字测图及检测与修正

12.1 一般规定

12.1.1 输电线路平断面图比例尺宜采用水平1∶5000、垂直1∶500。500kV及以下输电线路平面带宽宜为中心线两侧各50m，500kV以上输电线路平面带宽宜为中心线两侧各75m。图幅分幅宜采用整千米分幅。

12.1.2 输电线路工程内业测图地物点对邻近桩位点的点位中误差不应大于表12.1.2的规定。

表12.1.2 输电线路工程内业测图地物点的点位中误差(m)

地物类型	点位中误差
一般地物	1.60
重要地物	1.20

12.1.3 输电线路工程内业测图断面点对邻近桩位点高程的中误差不应大于表12.1.3的规定。

表12.1.3 输电线路工程内业测图断面点高程中误差(m)

地形类别	高程中误差
平坦地	0.50
丘陵地	
山地	1.00
高山地	1.50

注：隐蔽地区测图可放宽0.5倍。

12.1.4 根据工程的设计阶段、规模大小和用户要求，地形图测图的比例尺可按表12.1.4选用。

表 12.1.4 地形图测图基本比例尺要求

设计阶段	测区内容	基本比例尺
可行性研究	厂址	1∶10000
初步设计和施工图设计	厂区、生活区、灰坝、变电站	1∶1000
	贮灰场、天然冷却池	1∶5000
	地下水水源地	1∶10000

12.1.5 地形图分幅宜采用 50cm×50cm 正方形分幅或 40cm×50cm 矩形分幅，根据需要亦可采用其他规格的分幅。地形图编号宜采用流水顺序编号或行列编号，亦可采用西南角坐标千米数编号。地形图分幅和编号宜符合本标准附录 L 的规定。

12.1.6 厂站区地物点对最近野外控制点的图上点位中误差不应大于表 12.1.6 规定。

表 12.1.6 图上地物点的点位中误差(mm)

区 域 类 型	点位中误差
一般地区	0.80
建筑区	0.60

12.1.7 地形图等高线及插求点对最近野外控制点的高程中误差不应大于表 12.1.7 的规定。

表 12.1.7 等高线插求点高程中误差(m)

地 形 类 别	点位中误差
平坦地	$0.33h_d$
丘陵地	$0.50h_d$
山地	$0.67h_d$
高山地	$1.00h_d$

注：1 h_d为地形图基本等高距。

2 隐蔽地区测图可放宽 0.5 倍。

12.1.8 地形图高程注记点高程中误差不应大于表 12.1.7 规定的 0.7 倍。

12.1.9 管线平断面图比例尺宜采用水平 1∶1000、垂直 1∶100，或水平 1∶2000、垂直 1∶200。断面图里程、桩间距离及桩位高程均应注记到厘米，转角度注记到分。

12.1.10 每对立体模型像对施测范围不宜超出两模型重叠影像范围的 50%。

12.2 输电线路工程数字测图

12.2.1 平断面图测绘应采用全数字摄影测量系统，系统中应建立统一工程项目名称。作业前应对仪器进行自检。

12.2.2 平面及断面量测前应取得所测线路的起点至终点转角资料和设计专业要求施测的线路中心至边线间距离、平面测量宽度、最大风偏距离、成图比例尺、沿线调绘资料等相关资料。

12.2.3 平断面图从变电站起始或终止时应注记构架中心地面高程，并应根据设计需要外业施测和注明已有导线悬挂点或横担高程。分段测量时，相邻两段均应在图上标注接合处桩位的相对高程值。

12.2.4 输电线路起迄点的变电站，当进出线复杂、走廊紧张时应施测线路与变电站相对位置的平面图，比例尺宜为 1∶2000，并由外业检测。平面图样式宜按照本标准附录 M 的规定执行。

12.2.5 数据采集软件和符号库应能根据测图需要，按用户要求进行目标编码，自动地从符号库中提取相应要素的符号，并进行实时图形显示及编辑。

12.2.6 输电线路转角附近地物的施测应以地物距中心线最近的一方向段进行施测。

12.2.7 输电线路距中心线两侧一定范围内的地物应测绘其平面位置。建筑物、道路、管线、河流、水库、水塘、水沟、渠道、坟地、悬崖、陡壁、行树、独立地物、水井、水塔等应在数字立体模型像对上量测。内业辨别困难的地物宜根据调绘资料在平面图上量测并标注。

12.2.8 当线路通过森林、果园、苗圃、农作物及经济作物时，平面应以地类界绘制范围，并根据调绘资料标注植被名称、树种及高度等信息。

12.2.9 跨越已有电力线时，内业应根据调绘资料量测其平面位置，外业应测量其断面、边线高度、塔高等，并应检测平面位置；跨越已有公路、铁路时，内业应量测其平面位置、路面高程。

12.2.10 当线路路径经过地物拥挤地段时，应根据需要测绘比例尺为1∶1000或1∶2000的平面图。平面图样式宜按照本标准附录N的规定执行。

12.2.11 线路平行接近通信线、地下光缆、其他电力线时，应量测其平面位置，断面测注杆高，必要时宜施测1∶1000或1∶2000的平行接近线路相对位置的平面分图。平面分图样式宜按照本标准附录P的规定执行。

12.2.12 线路中心线两侧的房屋和其他厂、矿建筑物应进行量测。房屋测量的范围应根据电压等级和设计需要确定。中心线两侧房屋的测量应按每栋房屋形状，以滴水房檐为准，单独测量。每栋房屋应测注地面高程和房屋高度。

12.2.13 线路沿线应测绘房屋分布图，其成图比例为1∶1000，房屋分布图应注明每幅图的起点、终点的线路累距，每栋房屋的最小偏距，量测面积等信息。并装订成册，且在封面上标明“房屋分布图”。房屋分布图样式宜按照本标准附录Q的规定执行。

12.2.14 输电线路工程断面图宜施测中心线断面、左边线断面和右边线断面等三条断面。

12.2.15 采集断面数据可采用自动扫描方式或手动方式。对于地物和植被稀少的平缓地区可采用自动扫描方式。自动扫描时，应人工跟踪立体。扫描步距宜为实地距离5m～10m；行距为边线至中线的垂距，行数为中线和左、右边线三条。对于有房屋、多地物和植被茂密的地区宜采用手动方式。

12.2.16 断面数据采集时，断面点选择应能反映地形变化和地貌特征。手动方式采集断面点时其断面点间的间距不宜大于实际地面距离25m。在导线对地距离可能有危险影响的地段,断面点应适当地加密。对山谷、深沟等不影响导线对地安全距离的区域断面可中断。

12.2.17 当边线地形高出中心断面0.5m时,应施测边线断面,施测位置应按设计确定的导线间距而定。路径通过缓坡、梯田、沟渠、堤坝时,应选测有影响的边线断面点。

12.2.18 当线路跨越森林、果园、苗圃及有高度的长年生长植被时,应加测三条断面线上相对较高的树高线。

12.2.19 当线路跨越或临近房屋时,断面上应标绘房屋的位置、形状和屋顶形式。

12.2.20 当遇边线外高度比为1∶3以上边坡时,应测绘风偏横断面图或风偏点。风偏横断面图的水平与垂直比例尺应相同,可采用1∶500或1∶1000,宜以中心断面点为起画基点。当中心断面点处于深凹处不需测绘时,可以边线断面为起画基点。当路径与山脊斜交时,应选测两个以上的风偏点。各点以分式表示,分式上方为点位高程,下方为垂直中线的偏距,偏距前面冠以"L"(左风偏点)或"R"(右风偏点)。风偏点至中心线的偏距根据设计要求确定。中心线与边线之间如有高出地形,应在其之间加测风偏点。平断面图样式宜按照本标准附录R的规定执行。

12.2.21 平断面图提交的数据文件和图形文件应一致。图形文件输出应按照所采用的图形编辑软件的要求,统一文件编号,以规定的文件格式输出图形文件。图面整饰、文字注记和图幅接边等宜采用离线编辑。当需要进行格式转换时,应保证图件信息不丢失。

12.3 输电线路工程图件检测与修正

12.3.1 终勘定位阶段应对输电线路工程内业图件进行实地检测和巡视检查,实地检测和巡视检查的内容应包括:断面点、危险点高程、重要地物的平面位置及高程、房屋及林木信息、图面信息的准确性和完整性等，并根据补测、检测、巡视成果修正平断面图。

12.3.2 终勘定位阶段应布置一定数量的断面控制点修正航测断面。断面修正控制点应根据设计杆塔排位情况、内业空中三角测量成果及植被信息等情况布设。断面修正控制点的布设应能反映地形断面变化，点位宜布设在模型连接差变化显著位置、塔位附近和对杆塔排位有影响的地方。

12.3.3 平断面图的断面修正控制点宜采用全站仪或GNSS进行测量，断面修正控制点密度宜为300m～500m。

12.3.4 平断面图航测断面应根据断面修正控制点修正。将断面修正控制点导入平断面图，对断面图的高程符合情况进行统计分析，当精度符合本标准第12.1.3条的规定时，以断面修正控制点高程数据为基准，对航测断面数据进行线性插值修正或局部修正；当精度不符合本标准第12.1.3条的规定时，应消除粗差和系统误差，在精度满足要求后，可对断面进行修正，如仍不符合规定时，应查找原因并重新测绘平断面图或现场重测。

12.3.5 终勘定位阶段应对关键断面点进行检测。关键断面点应根据设计排位情况布设，宜布设在线路导线弧垂对地或建(构)筑物最小距离或最小净空距离临界值的地段和其他有影响的地段。

12.3.6 平断面图关键断面点高程检测数据应导入修正后的平断面图，统计差值，若其差值仍然不能满足表12.3.6的要求时，应以实地检测高程数据为基准对断面图再次进行局部修正。

表12.3.6 输电线路工程关键断面点高程检测允许差值

地形类别	允许高程差值(m)
平坦地	0.30
丘陵、山地、高山地	0.50

12.3.7 巡视过程中发现漏测地形或与实地不符时，应进行补测、修测。

12.3.8 拆迁临界值左右3m范围内建(构)筑物的平面位置应进

行检测，当检测数据与图面数据差值大于0.1m时，应以实地检测数据为基准对图面数据进行修正。

12.3.9 导线弧垂对建(构)筑物有影响的地段，对建(构)筑物平面位置应进行检测，当检测数据与图面数据差值大于1.2m时，应以实地检测数据为基准对图面数据进行修正。

12.3.10 房屋调查工作应配合技经专业人员一起进行，房屋楼层应标注到0.5层。

12.3.11 根据调绘情况测绘的交叉跨越应实地检测。

12.3.12 利用航测方法测量的树高应实地检测并修正，树木的种类、胸径及密度等信息应实地调查并记录标注。

12.3.13 平断面图的修正和检查应分步实施，并分别统计误差值，平断面控制点和平断面检查点可同时在外业施测。检查点的平面中误差、高程中误差应按下式计算：

$$m = \pm\sqrt{\sum_{i=1}^{n}(\Delta_i\Delta_i)/n} \tag{12.3.13}$$

式中：m——检查点中误差(m)；

Δ——检查点野外实测值与内业测量值的较差(m)；

n——检测点个数。

12.4 厂站工程数字测图

12.4.1 厂站工程数字地形图测绘宜采用全数字摄影测量系统。在数字摄影测量系统中应统一定义工程项目名称、测区名称、文件名命名规则和共用数据文件。

12.4.2 厂站址测图范围应覆盖并大于厂站区面积，进厂(站)道路带状地形图范围不应小于道路两侧各50m，管线带状地形图范围不应小于管线两侧各25m。

12.4.3 数字摄影测图时距离影像边缘不应小于1mm；胶片数字化影像测图时不应超出图上定向点连线外40mm，且距离影像边缘不应小于10mm。超出定向点连线40mm以外的陆地部分应采用工程测量方法补测。

12.4.4 地物测绘应做到无错漏、不变形、不移位。地物的类别、属性应以调绘片为准，位置、形状应以立体模型为准。地物测绘误差不应大于图上0.2mm。

12.4.5 测绘依比例尺表示地物时，测标中心应切准轮廓线或拐角测点连线；测绘不依比例尺表示地物时，测标中心应切准其相应的定位点或定位线进行测绘。测绘独立地物时，依比例尺表示的应实测外廓、填绘符号；不依比例尺表示的应表示其定位点或定位线。

12.4.6 各类控制点都要依据坐标按相应图式符号准确表示，并参照调绘片上的刺点说明及点位略图，使点位与地物相吻合。

12.4.7 山脊线、山谷线、坡脚线等地形特征线均应进行量测，陡坎、斜坡、堤、河流、公路、铁路等应依比例尺同时量测两侧边线。

12.4.8 各类建(构)筑物及其主要设施的测绘应符合下列要求：

1 城镇建筑区可根据测图比例尺或用图需要，对测绘内容和取舍范围适当加以综合；

2 当建(构)筑物轮廓凸凹部分在1∶500比例尺图上小于1mm或在其他比例尺图上小于0.5mm时，可用直线连接；

3 房屋、街巷的测量，对于1∶500和1∶1000比例尺地形图，应分别测绘；对于1∶2000比例尺地形图，宽度小于1m的小巷，可适当合并；对于1∶5000比例尺地形图，连片的小巷和院落可合并测绘；

4 街区凸凹部分的取舍可根据用图的需要和实际情况确定；

5 对于地下建(构)筑物，可只测量其出入口和地面通风口的位置和高程。

12.4.9 交通与附属设施的测绘应符合下列要求：

1 双线道路与房屋、围墙等高出地面建筑物的边线重合时，可以建筑物边线代替道路边线，道路边线与建筑物的接头处应间隔0.2mm；

2 铁路与道路水平相交时，铁路符号应连续绘制，道路符号在相交处间隔 0.2mm 绘制；不在同一水平相交时，道路的交叉处应绘以相应的桥梁符号；

3 公路路堤（堑）应分别绘出路边线与堤（堑）边线，两者重合时，可将堤（堑）边线移动 0.2mm 绘制；

4 当测绘 1∶2000、1∶5000 比例尺地形图时，可适当舍去密集区域的附属设施。小路可选择表示。

12.4.10 管线的测绘应符合下列要求：

1 城镇建筑区内电力线、通信线可不连线，但应绘出连线方向；

2 同一杆架上有多种线路时，应表示其中主要的线路，各种线路走向应连贯、线类分明；

3 架空的、地面上的有管堤的管线应测绘，当架空管线支架密集时，可适当取舍；

4 测量管线断面时中心断面线宜连续，如遇水域、沟渠等内业无法采集断面数据时，应进行外业补测，管线断面图式样宜符合本标准附录 S 的要求。

12.4.11 水系及附属设施的测绘应符合下列要求：

1 河流遇桥梁、水坝、水闸等应中断绘制；

2 水涯线与陡坎重合时，可用陡坎边线代替水涯线，水涯线与斜坡脚重合时，仍应在坡脚绘制水涯线；

3 水渠应测注渠顶高程，堤、坝应测注顶部及坡脚高程；

4 当河沟、水渠在地形图上的宽度小于 1mm 时，可用单线表示。

12.4.12 地貌测绘应符合下列要求：

1 宜切准地面测绘等高线。当在植被覆盖区只能沿植被表面切准时，应进行植被高度改正，绘制等高线，或采集地形特征点内插生成等高线；

2 崩塌残蚀地貌、坡、坎和其他地貌可用相应符号表示；

3 山顶、鞍部、山脊、凹地、山脚、谷口、沟底、双线水渠的渠底（无水时）及渠边、双线河流水涯线上、堤顶、坑底、谷底及倾斜变换处等均应择要测注高程点。露岩、独立石应注记高程或比高；

4 土堆、堤、坎、坑等应注记高程或比高。

12.4.13 植被的测绘应按其经济价值和面积大小适当取舍，并应符合下列要求：

1 农业用地的测绘宜按稻田、旱地、菜地、经济作物地等进行区分，并配置相应符号；

2 地类界与线状地物重合时，可只绘线状地物符号；

3 梯田坎的坡面投影宽度在地形图上大于 2mm 时，应实测坡脚；小于 2mm 时，可量注比高。当两坎间距在 1∶500 比例尺地形图上小于 10mm、在其他比例尺地形图上小于 5mm 或坎高小于 1/2 等高距时，可适当取舍；

4 稻田应测出田间的代表性高程，当田埂宽在地形图上小于 1mm 时，可用单线表示。

12.4.14 像对之间应在测图过程中进行图形接边和属性接边。像对间地物接边差和等高线接边差应符合本标准第 12.1.6 条和第 12.1.7 条的规定。接边处地物的属性应根据外业调绘内容标注，同名地物属性应一致。

12.4.15 地形图应线划符号完整，文字注记准确，所属关系明确，位置恰当，接边关系处理良好。等高线应光滑连续，不应存在点线矛盾。

12.5 厂站工程图件检测与修正

12.5.1 厂站工程图件外业检测前应取得内业相关的技术报告、图幅接合表等资料，并对地形图测绘所采用的平面坐标系统和高程系统的正确性进行确认。

12.5.2 厂站工程内业所测图件应进行实地检测和巡视检查，发现漏测地形地物或与实地不符时，应进行补测、修测。

12.5.3 外业检测包括平面要素与高程精度检查、属性精度与完整性检查等。检查时宜以图幅为单位，按照15%～25%的比例进行随机抽样检查。抽样时应兼顾不同的地形类别、困难程度和环境特征等因素，均匀分布于整个测区。

12.5.4 可使用全站仪或GNSS进行地物平面精度检查，在样本图幅范围内均匀选取位置易于辨认的地物点，每幅图内不宜少于20个点，且总数不少于50个点。实测其坐标，并计算检测中误差，检测中误差应符合本标准第12.1.6条的规定。检测中误差应按下式计算：

$$m_{\mathrm{P}} = \pm\sqrt{\sum_{i=1}^{n}(\delta_i\delta_i)/n} \tag{12.5.4}$$

式中：m_{P}——平面检测中误差(mm)；

δ_i——实测点位与图上点位的距离较差(mm)；

n——检测点个数。

12.5.5 地形高程精度检查的方法与地物平面精度检查方法基本相同，每幅图内不宜少于20个点，且总数不少于50个点。可使用全站仪或GNSS进行地形高程精度检查，检测中误差应符合本标准第12.1.7条的规定。检测中误差应按下式计算：

$$m_{\mathrm{h}} = \pm\sqrt{\sum_{i=1}^{n}(\Delta_i\Delta_i)/n} \tag{12.5.5}$$

式中：m_{h}——高程检测中误差(m)；

Δ——检测高程与图上读取高程的较差(m)；

n——检查点点数。

12.5.6 当测区面积较小，图幅数量少于12幅时，可对整个测区进行抽样检查，检查点总数不少于50个点，且均匀分布于整个测区。

12.5.7 属性精度检查应包括属性分类正确性和属性注记正确性两方面。应巡视检查样本图幅内各类要素，统计错绘、漏绘的个数，以及属性注记差错、遗漏的个数。

12.5.8 外业检测中发现的各类质量问题应按照外业数据进行修

测或返工，直至符合质量要求。

12.5.9 对航片质量、像控点布设等原因引起的工程图件系统误差，宜用格网法、断面法或特征地形点法布设一定数量的地形修正控制点，以实测地形修正控制点数据为基准对工程图件进行拟合修正。修正后的图件应进行再次精度检查和质量评定，如还不能满足要求，必须进行返工。

12.5.10 管线断面检测可使用全站仪或 GNSS 进行，当外业检测数据与内业断面数据不符时，应以外业实测数据为基准进行断面修正。

12.6 提交资料

12.6.1 输电线路工程数字测图宜提交以下资料：

1 平断面图成果文件及数据文件；

2 房屋分布图成果文件及数据文件；

3 变电站或发电厂进出线平面图成果文件及数据文件；

4 拥挤地段平面图成果文件及数据文件；

5 平行接近线路相对位置的平面图成果文件及数据文件；

6 内外业断面差值表；

7 交叉跨越及断面检测记录；

8 断面修正方法与断面修正记录；

9 测量技术报告。

12.6.2 厂站工程数字测图宜提交以下资料：

1 厂站区地形图成果文件及数据文件；

2 进厂（站）道路地形图、断面图成果文件及数据文件；

3 管线地形图、断面图成果文件及数据文件；

4 检查测量记录；

5 地形图修正说明；

6 检查结论或说明；

7 测量技术报告。

13　三维辅助优化设计平台建立

13.1　一般规定

13.1.1　三维辅助优化设计平台的建立应遵循稳妥、可靠、经济实用的原则，并合理选择数据源。

13.1.2　输电线路及厂、站区宜分别建立三维辅助优化设计平台。

13.1.3　三维辅助优化设计平台应具备以下功能：

1　空间与属性数据输入、建库；

2　利用DOM、DEM建立三维立体模型；

3　权限设置；

4　三维漫游；

5　绘制点、线、多边形；

6　距离、坡度、面积量测；

7　各种地物量测；

8　输电线路或厂站工程辅助优化设计；

9　优化成果输出。

13.1.4　DOM、DEM、控制点、调绘资料等数据应由测量专业技术人员负责搜集和输入。地质、水文气象、设计专题数据应由相应专业负责搜集。

13.1.5　输电线路辅助优化设计平台宜在初步设计审查后，根据初步设计路径方案进行建立。

13.1.6　厂站工程辅助优化设计平台宜在可行性研究阶段建立。

13.1.7　数据输入时，宜先输入DEM、DOM并建立立体模型，在三维立体环境下输入测量控制点及调绘资料。

13.1.8　地质灾害评估资料、防洪评估资料、压矿评估资料、水文气象资料、规划资料、保护区资料等专题数据和元数据应在岩土、水文气象、线路电气、线路结构、总图专业人员的配合下输入。

13.1.9 优化后方案图应包括DOM、测量控制点、调绘资料、村庄、河流、公里格网、等高线及优化后路径或厂站优化后布置方案等信息内容。

13.2 输电线路三维辅助优化设计平台建立

13.2.1 输电线路三维辅助优化设计平台，除应具备本标准第13.1.3条要求的功能外，还应具备以下功能：

1 控制点、电力线、通信线、独立坟、井等调绘数据及初步设计路径等专题数据输入、建库的工具；

2 转角绘制及编辑、自动计算并显示转角度数、量测交叉角度数等路径优化工具；

3 自动提取线路概略平断面图功能；

4 统计转角个数、跨越数量、房屋面积等功能；

5 输出优化后转角数据文件功能；

6 输出优化后路径图功能。

13.2.2 数据准备工作应包括以下内容：

1 搜集输电线路可行性研究报告、初步设计报告、初步设计路径图；

2 搜集线路沿线2km范围内DEM、DOM、控制点资料、调绘资料等测量数据；

3 检查验收测量数据及有关专业技术人员提供的路径协议资料等专题数据，并建立各自的元数据文件，明确坐标高程系统、精度、时间等信息；

4 将测量数据、专题数据转换成输电线路三维辅助优化设计软件平台兼容的数据格式。

13.2.3 DEM数据格网间距不宜大于10m，最大不应大于15m。

13.2.4 DOM数据比例尺不宜小于1：10000，最小不应小于1：50000。

13.2.5 配合路径优化设计的测量工作宜包括以下内容：

1 沿线浏览路径走廊，逐个转角调整落实；

2 根据DEM利用平台工具自动提取断面，步长宜为10m～15m，生成概略平断面图；

3 针对预排塔位，逐基检查塔位地形，量测塔基坡度；

4 利用缓冲区分析等空间分析工具，统计路径方案的转角数量、路径长度、交叉跨越数量、杆塔数量等信息；

5 输出优化后路径方案的转角坐标数据文件、优化后路径图。

13.3 厂站工程三维辅助优化设计平台建立

13.3.1 厂站工程三维辅助优化设计平台，除应具备本标准第13.1.3条要求的功能外，还应具备以下功能：

1 控制点、电力线、通信线、独立坟、井、界线、植被等调绘数据及专题数据输入、建库的工具；

2 变电站站址、电厂厂址、灰场位置、取水泵房位置、电力线路、道路、铁路、管线等绘制及编辑工具；

3 自动提取概略断面图功能；

4 土方计算功能；

5 统计分析功能；

6 输出优化后站址及进站道路、排水管线、进出线终端塔等附属设施坐标数据文件功能；

7 输出优化后厂站址及灰场位置、取水泵房位置、升压站站址、集电线路、道路、铁路、给排水管线、进出线终端塔等附属设施坐标数据文件功能；

8 输出优化后厂站址及附属设施方案图功能。

13.3.2 数据准备工作应包括以下内容：

1 搜集厂站选址报告；

2 搜集电源点规划或电网规划报告；

3　搜集区域内铁路、公路交通网络；

4　搜集河流、水库等水源分布图；

5　搜集厂、站址区域 DEM、DOM、控制点资料、调绘资料等测量数据；

6　检查验收测量数据及有关专业技术人员提供的规划区资料、土地利用现状图等专题数据，并建立各自的元数据文件，明确坐标高程系统、精度、时间等信息；

7　将测量数据、专题数据转换成厂站工程三维辅助优化设计平台兼容的数据格式。

13.3.3　DEM 数据格网间距不宜大于 5m，最大不应大于 15m。

13.3.4　DOM 数据比例尺不宜小于 1：5000，最小不应小于 1：50000。

13.3.5　配合方案优化设计的测量工作宜包括以下内容：

1　绘制厂、站址及附属设施，并调整落实；

2　根据 DEM 利用平台工具针对道路、铁路、管线、集电线路自动提取断面，步长宜为 5m～15m，生成概略断面图；

3　根据 DEM 利用平台工具，针对厂站址、灰场、取水泵房进行土方计算；

4　利用缓冲区分析等空间分析工具，统计厂站址方案的占地面积等信息；

5　输出优化后变电站站址、厂址方案的坐标数据文件、优化后方案图。

13.4　提交资料

13.4.1　输电线路三维辅助优化设计平台建立及优化路径后，应提交以下资料：

1　测量数据库及相应元数据文件；

2　概略平断面图；

3　优化后路径图；

4 优化后路径转角坐标数据文件。

13.4.2 厂站工程三维辅助优化设计平台建立及厂站址优化后，应提交以下资料：

1 测量数据库及相应元数据文件；

2 管线、道路概略断面图；

3 优化后厂、站址方案图；

4 优化后厂、站址方案坐标数据文件。

14 地面摄影测量

14.1 一 般 规 定

14.1.1 地面摄影测量宜用于山地、高山地局部地形图测量，成图比例尺宜为 1∶500 或 1∶1000。

14.1.2 地面摄影测量的基本精度要求应符合表 14.1.2 的规定。

表 14.1.2 地面摄影测量成图精度要求

误差类别	平面位置中误差(图上 mm)	高程中误差
像片控制点	0.1	$0.1h_d$
地物点	0.8	—
高程注记点	—	$0.5h_d$
图幅等高线	—	山地 $2h_d/3$，高山地 $1h_d$

注：1 h_d为基本等高距；

2 困难地区的高程中误差应放宽 0.5 倍。

14.1.3 地面摄影测量宜使用经检定的摄影全站仪或数码摄像机。

14.2 摄站及像控点布设

14.2.1 摄站、摄影基线的选定及量测应符合以下要求：

1 摄影基线的左、右站应选在视野开阔处，用最少的摄影基线，摄取最大的面积；

2 左、右摄站应能互相通视或有已知定向点，摄站之间的高差，不宜大于 $B/10$，困难情况下不宜大于 $B/5$，B 为摄影基线；

3 摄影基线应选在所指地区的正面，宜采用正直摄影方式；

4 补摄漏洞的辅助像对应在实地同时选定；

5 在陡峻山区、峡谷地段摄影基线宜布设在摄区的对面。若高差过大且纵距又受地形限制时，可分层选定摄站，布设摄影基线；

6 摄影基线长度应根据摄影纵距(Y)和地形图比例尺($1:M$)确定。根据地形图上标出的摄影范围和摄影基线所在位置拟定摄影纵距 $Y_{最远}$ 和 $Y_{最近}$，并计算摄影基线 $B_{最长}$ 和 $B_{最短}$，摄影纵距 Y 和摄影基线应按下列公式计算：

摄影仪主距(f)200mm 时：

$$B_{最短}=\frac{Y_{最远}^{2}}{8M} \tag{14.2.1-1}$$

摄影仪主距(f)100mm 时：

$$B_{最短}=\frac{Y_{最远}^{2}}{4M} \tag{14.2.1-2}$$

$$B_{最长}=\frac{Y_{最近}}{4} \tag{14.2.1-3}$$

$$Y_{最远}=4M\times f \tag{14.2.1-4}$$

式中：$Y_{最远}$——最远摄影纵距(m)；

$Y_{最近}$——最近摄影纵距(m)；

$B_{最长}$——最长摄影基线(m)；

$B_{最短}$——最短摄影基线(m)；

M——成图比例尺分母；

f——摄影仪主距(mm)。

7 野外确定摄影基线时，可采用$\frac{Y_{最近}}{4}\geqslant B\geqslant\frac{Y_{最远}}{20}$估算，当成图范围离摄站较远时，在$\frac{Y_{平均}}{10}\sim\frac{Y_{平均}}{20}$之间选择；

8 摄影基线 B 可用钢尺丈量或用电磁波测距仪测定。摄影基线 B 的相对精度不得大于 1/2000。

14.2.2 像控点布设应符合下列要求：

1 在 $Y_{最远}$ 和 $Y_{最近}$ 以及 $Y_{最远}$ 处的横向测图范围内的两侧均应有像片控制点；

2 像控点布设见图14.2.2,每个立体像对宜布设4点或5点,困难情况下可布设3点。连续摄影时,相邻像对的像控点宜公用;

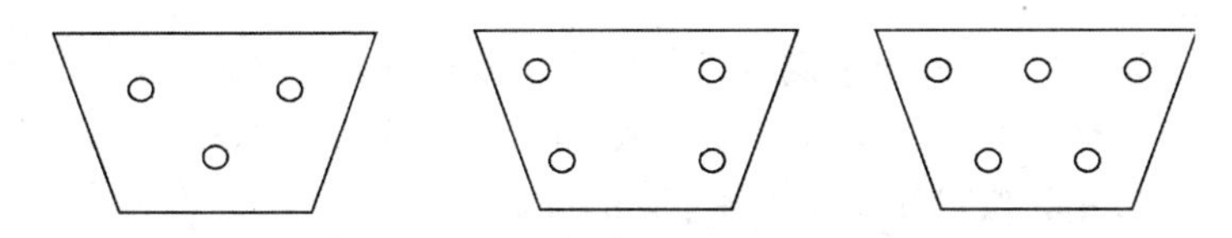

图14.2.2 测图范围像片控制点点位

3 像片控制点应铺设人工标识,人工标识铺设规格和要求宜按照本标准附录T的规定执行,标识的尺寸可按下式计算:

$$R \geqslant \frac{Y_{平均}}{f} V \tag{14.2.2}$$

式中:R——标识尺寸(m);

$Y_{平均}$——平均摄影纵距(m);

f——摄影仪主距(mm);

V——影像最小量测值(mm)。

14.3 摄影及影像处理

14.3.1 摄影时应对相机进行事先检校,检校应包括下列内容:

1 主点位置与主距;

2 胶片立体相机内方位元素及相机相对位置关系;

3 畸变差大小;

4 相机偏心常数;

5 同步摄影时的同步精度。

14.3.2 使用摄影全站仪进行摄影测量时,每次相机拆卸后重装时应进行自检校,并求取相机外方位元素。

14.3.3 摄影时应符合下列要求:

1 整平仪器时,水准气泡偏离应在半格以内。定向应准确,交叉误差不得大于10″,偏角误差不得大于30″;

2 应保证应摄入的像控点均能摄入像对,并且左站摄影时左

边应留出一个基线长度,右站摄影时右边应留出一个基线长度;

3 应根据季节、天气、被摄物体的亮度等因数正确曝光。不宜逆光摄影;

4 摄影方式根据测区条件而定,有正直摄影、等偏摄影、等倾摄影或交向摄影。等偏摄影时,偏角不宜大于31.5°,最大不应大于40°,相邻像对间应有10%的重叠;

5 片号、基线长、摄影方式、物镜位置、两摄站高差、等偏角、摄影日期等摄影数据应记入手簿。

14.3.4 影像处理应符合下列要求:

1 地面立体摄影后提交的资料成果应经检验合格后方可进行影像处理;

2 影像处理分为胶片影像处理和数码影像处理。影像处理要求应符合本标准第5.2节的相关规定;

3 影像处理过程中应采取必要的技术措施,保证影像清晰、反差适中、色调正常,并应在影像处理过程中确保影像的几何精度。

14.4 像控点联测及调绘

14.4.1 像控点联测应符合下列要求:

1 像片控制点应与测区基础控制网联测,平面和高程系统与测区基础控制网采用的系统保持一致;

2 像片控制点联测宜采用GNSS测量方法,也可采用导线测量等方法进行;像片高程控制点的联测可采用GNSS测量方法、水准测量、电磁波测距三角高程测量等方法进行。

14.4.2 像控点整饰应符合下列要求:

1 像控点采用红色以直径10mm的圆圈整饰,并在旁边注明点号、高程;

2 当利用天然目标作为相控点时,应以0.1mm的精度立体刺出点位,并在像片背面绘制点位略图和说明。

14.4.3 像片调绘应符合下列要求：

1 调绘可用简化符号及文字说明，宜附加草图，通信线、电力线的转折点应实地刺点或绘制点位，地类界应实地绘出；

2 相邻像对间不应出现调绘漏洞。

14.5 内 业 测 图

14.5.1 地面摄影测量内业测图应采用专业数字测图系统。

14.5.2 框标坐标残差绝对值不宜大于0.010mm，最大不宜超过0.015mm。

14.5.3 相对定向精度不应大于表14.5.3的规定。

表14.5.3 相对定向精度

影像类型	连接点上下视差最大残差
扫描数字化影像	0.02mm(1像素)
数码影像	2/3像素

14.5.4 绝对定向应对像控点残差进行合理配赋。当地形图比例尺为1∶500时，平面点位误差及高程误差不得大于表14.5.4的规定。

表14.5.4 平面点位误差及高程误差(1∶500)(m)

地形类别	平面点位误差	高程误差
平地	0.30	0.15
丘陵地	0.30	0.30
山地	0.30	0.45
高山地	0.30	0.60

注：困难时，平面对点误差个别点可放宽到1.0。

14.5.5 当地形图比例尺为1∶1000时，平面点位误差及高程误差不得大于表14.5.5的规定。

表 14.5.5　平面点位误差及高程误差(1∶1000)(m)

地形类别	平面点位误差	高程误差
平地	0.60	0.30
丘陵地	0.60	0.40
山地	0.70	0.60
高山地	0.70	0.90

14.5.6　测绘地物、地貌应符合下列规定：

1　在立体像对上的测绘范围图面上不得大于控制点连线外10mm；

2　地物测绘应参照调绘片进行，地貌测绘应真实、细致地反映地貌形态及特征；

3　地表面被植被覆盖时，应考虑其影响并加以改正；

4　高程注记点应选在明显地物和地形特征点上，如鞍部、山顶、沟心、道路交叉处等；

5　相邻像对地物和等高线接边误差不应大于地物点平面位置中误差和等高线高程中误差的2倍。

14.5.7　使用摄影全站仪摄影测量时，应将相机外方位元素、控制点导线测量数据与数字影像数据一起输入专用的数字摄影测量软件中进行摄影测量内业处理。

14.5.8　内业地形图完成后，外业应进行检测，检测宜采用全站仪或GNSS。当检测不符合本标准表14.5.4或14.5.5的规定时，应对地形图进行修正。

14.6　提交资料

14.6.1　地面摄影测量外业宜提交下列资料：

1　外业控制报告；

2　地形图资料及测区有关的控制成果资料；

3　控制点分布略图；

4　控制刺点像片；

5 调绘像片；

6 其他相关记录资料。

14.6.2 地面摄影测量内业宜提交下列资料：

1 空三加密成果；

2 数字高程模型成果；

3 数字线画图成果；

4 勘测大纲或技术设计书；

5 测量技术报告；

6 其他相关记录资料。

15 资料整编及检查验收

15.1 一 般 规 定

15.1.1 测量的原始资料应完整、真实、可靠，并与测量成果一起提交检查验收。

15.1.2 每道工序的测量成果应经检查后交下一工序使用检验，测量成果应准确、清楚、齐全。

15.1.3 测量对外业原始资料、作业过程资料、最终成果资料以及检查验收资料等内外业资料应及时进行整理。

15.1.4 采用数据库系统管理的测量成果应确保测量成果的完整性、一致性、可追溯性和安全性。

15.2 资 料 整 编

15.2.1 输电线路工程数字摄影测量资料整编宜包括下列内容：

1 航摄设计及报告的整编；

2 摄影资料验收及报告编写；

3 勘测大纲或技术设计书的编写；

4 基础控制测量数据整理、解算、平差计算及点之记整编；

5 控制像片的整饰；

6 像片控制测量数据的整理、解算及平差计算；

7 控制点分布略图整编；

8 像片调绘资料的整理；

9 空三测量及成果整理；

10 三维辅助优化设计平台的建立；

11 配合三维辅助优化设计成果整理及报告编写；

12 正射影像路径图制作及整饰；

13 数字高程模型建立；

14 检测与修正编辑航测平断面图及数据统计和资料整理；

15 平断面图编辑和整饰；

16 房屋分布图编辑和整饰；

17 林木分布图编辑和整饰；

18 变电站或发电厂进出线平面图成果文件及数据文件整编；

19 拥挤地段平面图成果文件及数据文件整编；

20 平行接近线路相对位置的平面图成果文件及数据文件整编；

21 测量技术报告的编写；

22 其他相关资料和图件的整编。

15.2.2 厂站工程数字摄影测量资料整编宜包括下列内容：

1 航摄设计及报告的整编；

2 摄影资料验收及报告编写；

3 勘测大纲或技术设计书的编写；

4 基础控制测量数据整理、解算、平差计算及点之记整编；

5 控制像片的整饰；

6 像片控制测量数据的整理、解算及平差计算；

7 控制点分布略图整编；

8 像片调绘资料的整理；

9 空三测量及成果整理；

10 三维辅助优化设计平台的建立；

11 配合三维辅助优化设计成果整理及报告编写；

12 正射影像制作及整饰；

13 数字高程模型建立；

14 检测与修正编辑地形图、断面图及数据统计和资料整理；

15 厂站址地形图成果资料的编辑和整理；

16 道路管线地形图、断面图成果资料的编辑和整理；

17 测量技术报告的编写；

18 其他相关资料和图件的整理。

15.3 检查验收

15.3.1 电力工程数字摄影测量成果检查验收应以勘测合同、勘测任务书、作业指导书及评审批准后的勘测大纲等为依据。

15.3.2 质量检查宜按作业过程检查、中间检查和成品校审三个程序进行，各级检查和校审应保存记录。

15.3.3 作业过程检查应由工程负责人组织所有工程技术人员参与，作业过程检查应对所有的测量记录、计算和图纸进行全面检查，并进行分析整理。

15.3.4 中间检查宜由勘测部门技术主管主持，中间检查应对勘测大纲的执行情况进行全面检查，应对需要调整的技术方案进行评估和指导。

15.3.5 电力工程数字摄影测量成品校审应按校核检查和审核检查二级方式进行。

15.3.6 校核检查应包括以下内容：

1 测绘仪器、设备、工具应在作业前进行检视或检测合格；

2 起算数据应准确可靠；

3 引用资料应准确可靠并符合工程实际要求；

4 作业方法应符合勘测大纲或技术设计书的要求；

5 外业测量原始记录应真实、可靠、规范，无涂改伪造；

6 计算方法应正确，计算成果应准确，成果精度应满足本标准和勘测大纲或技术设计书的要求；

7 图件符号表示应正确，图面应清晰、准确、完整，图件接边应符合要求；

8 成果资料应完整；

9 不同部分资料之间、新旧资料之间、不同作业组资料之间应吻合衔接；

10 测量技术报告表述应正确；

11 其他内容应符合相关规定。

15.3.7 审核检查内容应符合以下规定：

1 测量内容与深度满足要求；

2 测绘仪器、设备、工具符合定期检定要求；

3 测量中所使用的专业应用软件经过鉴定或验证合格；

4 起算数据准确可靠；

5 计算方法正确，成果精度满足本标准和勘测大纲或技术设计书的要求；

6 对部分原始资料、计算资料、图件进行抽样检查；

7 对重要成果进行检查或验算；

8 报告重点突出、内容完整、论据充分、分析评价合理、结论正确；

9 对校核检查记录进行复查；

10 其他内容符合相关规定。

15.3.8 成品质量差错可分为一般性差错、技术性差错和原则性差错三类。测量人员应对检查出来的一般性质量差错进行修改或纠正；对技术性和原则性质量差错应进行返工，并重新提交成品资料进行检查，直至成品合格。

15.3.9 成品资料可由业主组织验收，或由本单位验收批准放行，由下道工序进行复测验证。

附录 A 航摄常用计算公式

A.0.1 摄影基线和航线间隔应按下列公式计算：

$$b_x = L_x(1-p_x) \quad \text{(A.0.1-1)}$$

$$d_y = L_y(1-q_y) \quad \text{(A.0.1-2)}$$

$$B_x = b_x \cdot \frac{H}{f} \quad \text{(A.0.1-3)}$$

$$D_y = d_y \cdot \frac{H}{f} \quad \text{(A.0.1-4)}$$

式中：b_x——像片上的摄影基线长度(mm)；

d_y——像片上的航线间隔宽度(mm)；

B_x——实地上的摄影基线长度(m)；

D_y——实地上的航线间隔宽度(m)；

L_x、L_y——像幅长度和宽度(mm)；

p_x、q_y——像片航向和旁向重叠度，以百分比表示；

H——摄影航高(m)；

f——相机镜头焦距(mm)。

A.0.2 航摄分区平均高程基准面的高程应按下式计算：

$$h_{基} = \frac{h_{高} + h_{低}}{2} \quad \text{(A.0.2)}$$

式中：$h_{基}$——平均高程基准面的高程(m)；

$h_{高}$——分区内高点平均高程(m)；

$h_{低}$——分区内低点平均高程(m)。

A.0.3 相对航高应按下式计算：

$$H = \frac{f \cdot \text{GSD}}{a} = M \cdot f \quad \text{(A.0.3)}$$

式中：H——相对于基准面的高度(m)；

f——相机镜头焦距(mm)；

a——像元尺寸(mm)；

GSD——地面分辨率(m)；

M——航摄比例尺分母。

A. 0. 4 像点位移应按下式计算：

$$\delta=\frac{v \cdot t}{\mathrm{GSD}} \quad (A. 0. 4)$$

式中：δ——像点位移，单位为像素；

v——航摄飞机飞行速度(m/s)；

t——曝光时间(s)；

GSD——地面分辨率(m)。

A. 0. 5 像片重叠度应按下列公式计算：

$$p_x=p_x{}'+(1-p_x{}') \cdot \Delta h/H \quad (A. 0. 5\text{-}1)$$

$$q_y=q_y{}'+(1-q_y{}') \cdot \Delta h/H \quad (A. 0. 5\text{-}2)$$

式中：p_x、q_y——像片航向和旁向重叠度，以百分比表示；

$p_x{}'$、$q_y{}'$——像片航向和旁向标准重叠度，以百分比表示；

Δh——相对于摄影基准面的高差(m)；

H——摄影航高(m)。

A. 0. 6 相邻像片的曝光时间间隔应按下式计算：

$$\Delta t=\frac{B_x}{W} \quad (A. 0. 6)$$

式中：Δt——相邻像片的曝光时间间隔(s)；

B_x——实地上的摄影基线长度(m)；

W——飞机飞行时的地速(m/s)。

A. 0. 7 航线弯曲度应按下式计算：

$$E=\frac{\Delta l}{L}\times 100\% \quad (A. 0. 7)$$

式中：E——航线弯曲度，以百分比表示；

Δl——像主点偏离航线首末像主点连线的最大距离(mm)；

L——航线首末像主点连线的长度(mm)。

A.0.8 基高比应按下式计算：

$$\lambda=\frac{B_x}{H}=\frac{b}{f} \tag{A.0.8}$$

式中：λ——摄影基高比；

B_x——实地上的摄影基线长度(m)；

H——摄影航高(m)；

b——像片上的摄影基线长度(mm)；

f——相机镜头焦距(mm)。

附录B 航摄鉴定表

表B 航摄鉴定表

摄区________　　　　　　　　　　　　地面分辨率______cm

分区________　　图幅编号________　　绝 对 航 高______m

航线序号	航摄日期(年.月.日)	航摄仪型号及编号	航线两端号码	片数	图幅在测区(分区)的位置示意图
1					
2					
3					
4					
5					
总片数					

航摄仪类型______号码______主距______mm

像幅______像素×______像素,像素大小______μm

点名	(mm)	(mm)	说明
PPA自准直主点			
检查意见			
检查者		日期	

验收意见:____________________

验收单位:______验收代表:______日期:______

附录C 地面标志的形状和尺寸

C. 0. 1 地面标志的形状宜布设成圆形〔图 C. 0. 1(a)〕、三叉形〔图 C. 0. 1(b)〕或十字形〔图 C. 0. 1(c)〕。

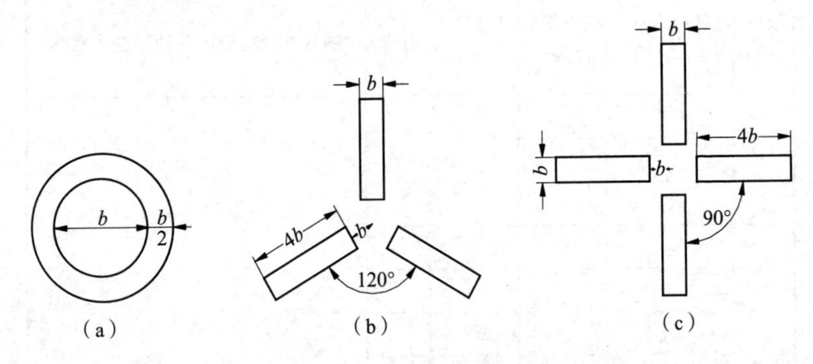

图 C. 0. 1 地面标志的形状

C. 0. 2 标志的大小可根据摄影像片比例尺分母 M 确定，其中 $b=0.05M$(mm)或 $b=0.04M$(mm)。

附录D 航摄资料移交书

D.0.1 航摄资料移交书宜包括航拍任务说明、航摄面积统计表和航摄资料统计表。具体格式如下：

根据____年____月____日______合同执行______摄区航空摄影任务，完成航摄面积及移交资料如表D.0.1-1和表D.0.1-2所示。

表 D.0.1-1 航摄面积统计表

地区类型	完成航摄面积（km^2）	地面分辨率（m）	影像类型	像幅	航向重叠	旁向重叠	备注

表 D.0.1-2 航摄资料统计表

<table>
<tr><th>项　目</th><th>规格</th><th>单位</th><th>份数</th><th>数量</th><th>备注</th></tr>
<tr><td>航摄技术设计书</td><td></td><td>本</td><td></td><td></td><td rowspan="4">附电子文档</td></tr>
<tr><td>航摄仪技术参数检定报告</td><td></td><td>张</td><td></td><td></td></tr>
<tr><td>航摄军区批文</td><td></td><td>套</td><td></td><td></td></tr>
<tr><td>航摄飞行记录</td><td></td><td>本</td><td></td><td></td></tr>
<tr><td>全色影像</td><td></td><td>套</td><td></td><td></td><td></td></tr>
<tr><td>真彩色影像</td><td></td><td>套</td><td></td><td></td><td></td></tr>
<tr><td>彩红外影像</td><td></td><td>套</td><td></td><td></td><td></td></tr>
<tr><td>航片输出片</td><td></td><td>张</td><td></td><td></td><td></td></tr>
<tr><td>浏览影像</td><td></td><td>张</td><td></td><td></td><td></td></tr>
<tr><td>航摄像片中心点坐标数据</td><td></td><td>套</td><td></td><td></td><td></td></tr>
<tr><td>航摄像片中心点结合图</td><td></td><td>张</td><td></td><td></td><td rowspan="6">附电子文档</td></tr>
<tr><td>航线、像片结合图</td><td></td><td>张</td><td></td><td></td></tr>
<tr><td>摄区范围完成情况图</td><td></td><td>张</td><td></td><td></td></tr>
<tr><td>航摄鉴定表</td><td></td><td>张</td><td></td><td></td></tr>
<tr><td>航摄资料移交书</td><td></td><td>本</td><td></td><td></td></tr>
<tr><td>航摄资料解密审查报告</td><td></td><td>套</td><td></td><td></td></tr>
<tr><td>其他</td><td></td><td></td><td></td><td></td><td></td></tr>
</table>

以上经甲、乙双方代表确认，并核实清点无误。

接收单位(章)：__________　　交出单位(章)：__________

验收代表：__________　　交出代表：__________

接收代表：__________　　负责人：__________

____年____月____日　　____年____月____日

附录E　基础控制点埋设规格

E.1　平面控制点标志

E.1.1　首级平面控制标志可采用磁质材料制作(见图E.1.1-1)或金属等材料制作(见图E.1.1-2)。

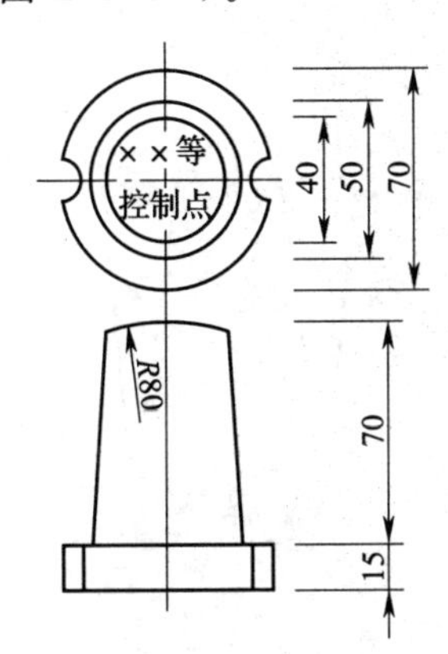

图E.1.1-1　磁质标志(mm)

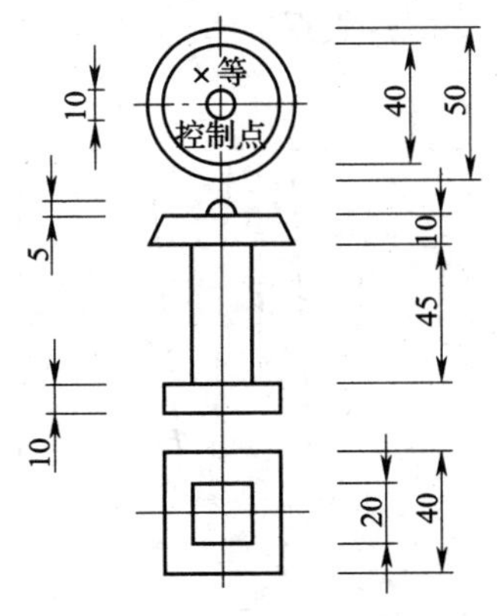

图E.1.1-2　金属质标志(mm)

E.1.2 一级、二级平面控制点标志可采用$\Phi14\sim\Phi20$、长度30cm~40cm的普通钢筋制作，钢筋顶端应锯“+”字标记，距底端约5cm处应弯成钩状。

E.2 平面控制标石埋设

E.2.1 一般地区的三级、四级平面控制点标石（见图E.2.1）应预先制作或现场浇灌，冻土和岩石裸露地区的标石应根据具体情况另行设计。

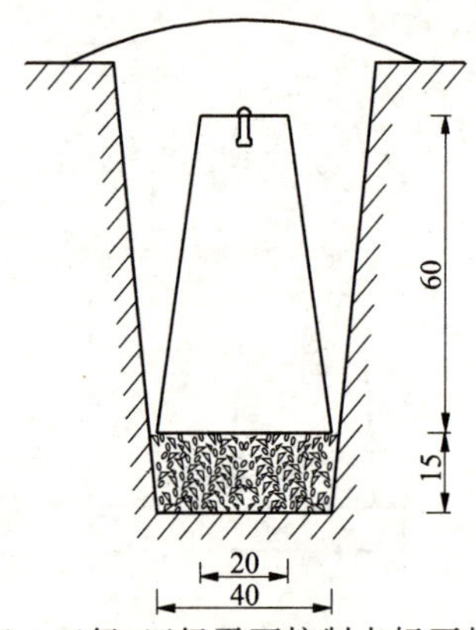

图E.2.1 三级、四级平面控制点标石规格（cm）

E.2.2 一级、二级平面控制点标石（见图E.2.2）宜预先制作或现场浇灌。

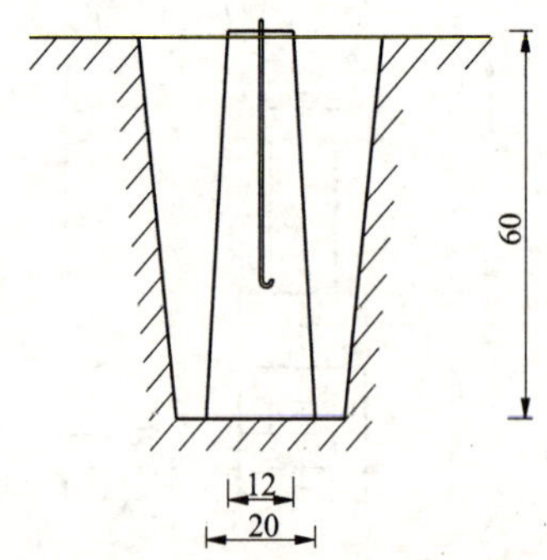

图E.2.2 一级、二级平面控制点标石规格（cm）

附录F 点 之 记

表F 点之记样表

<table>
<tr><td>点号</td><td>3</td><td>点名</td><td colspan="2">E03</td><td>标石类型</td><td>埋石</td></tr>
<tr><td>所在地</td><td colspan="6">点位位于××市(县)××乡(镇)，往南××km，李家村南的土路边稻田角，李××家房屋西南约30m。有手机信号</td></tr>
<tr><td colspan="7">点位略图： 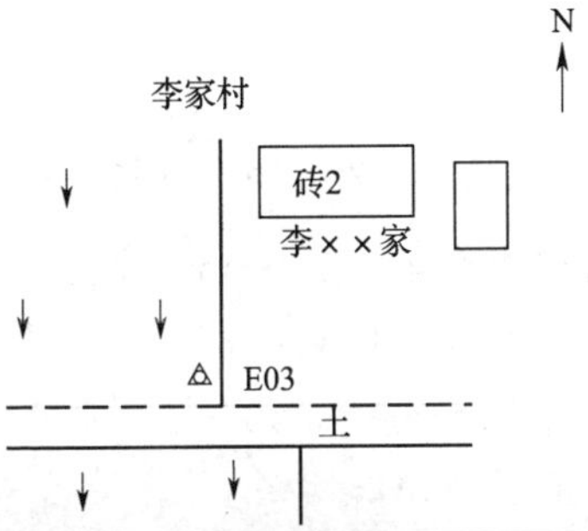</td></tr>
<tr><td colspan="5" rowspan="9"> </td><td colspan="2">概略位置</td></tr>
<tr><td colspan="2">X(北坐标，m)：</td></tr>
<tr><td colspan="2">×××××××</td></tr>
<tr><td colspan="2">Y(东坐标，m)：</td></tr>
<tr><td colspan="2">××××××</td></tr>
<tr><td colspan="2">B(大地纬度)：</td></tr>
<tr><td colspan="2">××°××′××.××″N</td></tr>
<tr><td colspan="2">L(大地经度)：</td></tr>
<tr><td colspan="2">×××°××′××.×××″E</td></tr>
<tr><td>备注</td><td colspan="6">表中X、Y为×××坐标系坐标，B、L为×××坐标系大地坐标</td></tr>
<tr><td>记录者</td><td>××</td><td>校对者</td><td>××</td><td>日　期</td><td colspan="2">20××年××月××日</td></tr>
</table>

附录G　厂站工程高空数码航摄影像像片控制点布点方案

G.0.1　厂站工程高空摄影数码航摄影像像片控制点航向跨度估算宜按下列公式进行估算：

$$M_S = \pm \frac{H}{gf} m_q \sqrt{\left(\frac{11}{3}\right) n^3 + [23 + 18\left(\frac{f}{b}\right)^2 + \frac{27}{2}\left(\frac{f}{b}\right)^4 n + 190} \tag{G.0.1-1}$$

$$M_h = \pm \frac{H}{86} m_q \sqrt{n^3 + 12n + 95} \tag{G.0.1-2}$$

式中：M_S——加密点的平面中误差(m)；

M_h——加密点的高程中误差(m)；

H——相对航高(m)；

f——相机主距(mm)；

b——摄影基线长度(mm)；

m_q——视差量测的单位权中误差(mm)；

n——航向基线跨度。

通常情况下计算时：m_q 取1/3像元大小，b 的取值按平坦地、丘陵地、山地和高山地分别按60%、65%、68%和70%航向重叠度计算。

G.0.2　按距离间隔法布点时，1：500、1：1000、1：2000、1：5000地形图常用数码相机数码影像平高控制点航向距离跨度应符合表G.0.2的规定。

表G.0.2　地形图数码影像像片平高控制点航向距离跨度表

成图比例尺	平高控制点航向距离跨度(km)			
	平坦地	丘陵地	山地	高山地
1：500	1.2～2	1～2	1～1.5	1～1.5

续表 G.0.2

成图比例尺	平高控制点航向距离跨度(km)			
	平坦地	丘陵地	山地	高山地
1∶1000	2～4	2～3.5	2～3	1.8～3
1∶2000	5～7	5～7	4～5	4～5
1∶5000	11～13	11～14	10～13	9～12

G.0.3 按距离间隔法布点时，1∶500、1∶1000、1∶2000、1∶5000地形图常用数码相机数码影像高程控制点航向距离跨度应符合表G.0.3的规定。

表 G.0.3 地形图数码影像像片高程控制点航向距离跨度表

成图比例尺	平高控制点航向距离跨度(km)			
	平坦地	丘陵地	山地	高山地
1∶500	1～2	1～1.5	1.5～3	1.5～3
1∶1000	1～2	1.5～3	2～4	2～5
1∶2000	3～5	3～6	4～7	4～7
1∶5000	5～9	9～13	10～15	9～13

G.0.4 按基线间隔跨度法布点时，每相邻两对平高控制点之间的航向基线跨度 N 值宜按下式计算：

$$N=\frac{D}{B_x} \tag{G.0.4}$$

式中：N——航向基线跨度；

D——航向距离跨度(m)；

B_x——实地摄影基线长度(m)。

附录H 厂站工程高空胶片航摄影像像片控制点布点方案

H.0.1 厂站工程高空摄影胶片航摄影像像片控制点航向跨度估算宜按下列公式进行估算：

$$M_S = \pm 0.28K \times m_q \sqrt{n^3 + 2n + 46} \quad (H.0.1\text{-}1)$$

$$M_h = \pm 0.088 \frac{H}{b} m_q \sqrt{n^3 + 23n + 100} \quad (H.0.1\text{-}2)$$

式中：M_S——加密点的平面中误差(mm)；

M_h——加密点的高程中误差(mm)；

K——像片放大成图倍数；

m_q——视差量测的单位权中误差(mm)；

H——相对航高(m)；

b——像片基线长度(mm)；

n——航向基线跨度。

通常情况下计算时：$m_q = 0.020$mm，b 的取值按平坦地、丘陵地、山地和高山地分别按60%、65%、68%和70%航向重叠度计算。

H.0.2 1∶500、1∶1000、1∶2000、1∶5000地形图常用胶片影像像片平高控制点航向基线跨度不应大于表H.0.2的规定。

表H.0.2 胶片影像像片平高控制点航向基线跨度估算表

成图比例尺	航摄比例尺分母	不同地形对应的航向基线跨度			
		平坦地	丘陵地	山地	高山地
1∶500	2000	—	—	3	3
	3000	—	—	—	—
	4000	—	—	—	—

续表 H.0.2

成图比例尺	航摄比例尺分母	不同地形对应的航向基线跨度			
		平坦地	丘陵地	山地	高山地
1∶1000	3500	7	7	7	7
	4500	5	5	5	5
	5500	4	4	4	4
	6500	4	4	4	4
	7500	3	3	3	3
1∶2000	7000	11	11	11	11
	9000	9	9	9	9
	11000	8	8	8	8
	13000	7	7	7	7
	15000	6	6	6	6
1∶5000	10000	31	31	31	31
	15000	24	24	24	24
	20000	19	19	19	19

H.0.3 1∶500、1∶1000、1∶2000、1∶5000 地形图常用胶片影像像片高程控制点航向基线跨度不应大于表 H.0.3 的规定。

表 H.0.3 胶片影像像片高程控制点航向基线跨度估算表

成图比例尺	胶片相机主距(mm)	航摄比例尺分母	不同地形对应的航向基线跨度			
			平坦地	丘陵地	山地	高山地
1∶500	152	2000	7	6	16	15
		3000	4	3	11	11
		4000	2	1	9	9
	210	2000	5	4	12	12
		3000	2	—	9	8
		4000	—	—	7	6

续表 H.0.3

成图比例尺	胶片相机主距(mm)	航摄比例尺分母	不同地形对应的航向基线跨度			
			平坦地	丘陵地	山地	高山地
1∶1000	152	3500	—	7	10	17
		4500	—	5	8	14
		5500	—	4	7	12
		6500	—	2	5	10
		7500	—	1	4	9
	210	3500	—	5	8	13
		4500	—	3	6	11
		5500	—	1	4	9
		6500	—	—	3	8
		7500	—	—	2	7
1∶2000	152	7000	—	7	10	10
		9000	—	5	8	8
		11000	—	4	7	6
		13000	—	2	5	5
		15000	—	1	4	4
	210	7000	—	5	8	7
		9000	—	3	6	5
		11000	—	1	4	4
		13000	—	0	3	3
		15000	—	0	2	2
1∶5000	152	10000	5	11	16	15
		15000	2	8	11	11
		20000	—	6	9	9
	210	10000	3	9	12	12
		15000	—	6	9	8
		20000	—	4	7	6

附录J 控制像片整饰格式

J.1 电子控制像片整饰格式样表

<table>
<tr><td>点号</td><td colspan="5">P389－1</td></tr>
<tr><td>刺点者</td><td>×××</td><td>检查者</td><td>×××</td><td>日　期</td><td>××××.××.××</td></tr>
<tr><td rowspan="2">坐　标</td><td colspan="2">X(m)</td><td colspan="2">Y(m)</td><td>H(m)</td></tr>
<tr><td colspan="2">3861909.301</td><td colspan="2">399365.538</td><td>45.066</td></tr>
<tr><td>片号</td><td colspan="5">第5航:20130201005025</td></tr>
<tr><td colspan="3">概略点位</td><td colspan="3">点位略图(100%)</td></tr>
<tr><td colspan="3" rowspan="3"></td><td colspan="3">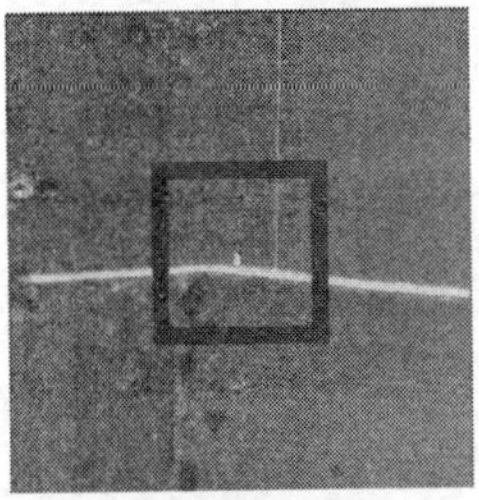</td></tr>
<tr><td colspan="3">点位详图(300%)</td></tr>
<tr><td colspan="3"></td></tr>
<tr><td>点位描述</td><td colspan="5">P389－1刺在白色地块右上角</td></tr>
<tr><td>备注</td><td colspan="5"></td></tr>
<tr><td>绘制者</td><td colspan="3">×××</td><td>检查者</td><td>×××</td></tr>
</table>

J.2 纸质控制像片整饰格式

J.2.1 纸质控制像片正面整饰格式(图 J.2.1)应符合下列规定:

1 平面点、平高点和高程点,在其编号前面应分别冠以 P、PG 和 G 字样;

2 符号的边长或直径应为 7mm。

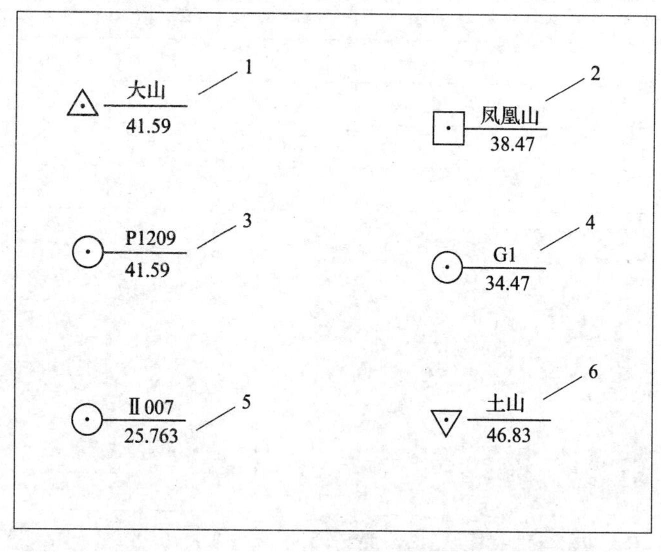

图 J.2.1 纸质控制像片正面整饰格式

1——三角点;2——导线点;3——平面控制点;4——高程控制点;5——水准点;6——小三角点

J.2.2 纸质控制像片反面整饰格式(图 J.2.2)应符合下列规定:

1 宜用黑色铅笔整饰,应以相应符号标出点位;

2 应在相应位置绘 2cm×2cm 大小的点位略图,略图方位应与实地对应,并应用文字准确描述点位位置。方向宜以像片编号字头方向为上,用上下左右表示;

3 每个控制点均应签署刺点者、检查者姓名和日期。

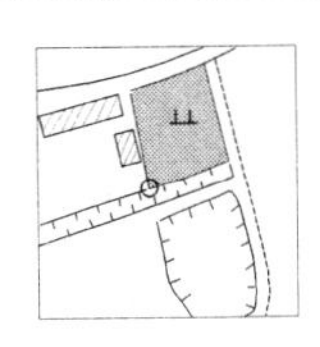

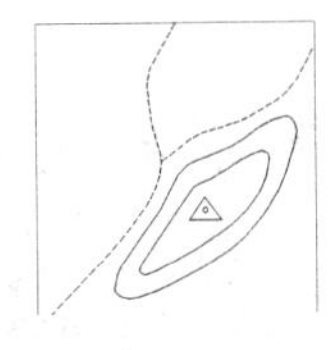

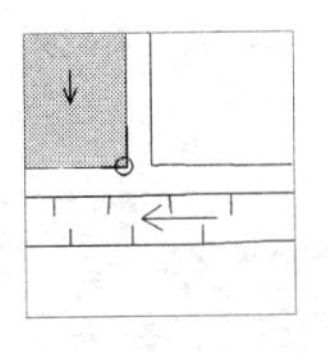

图 J.2.2　控制像片反面整饰格式

附录K　正射

K.1　输电线路工程

图K.1　输电线路

影像图样图

正射影像图样图

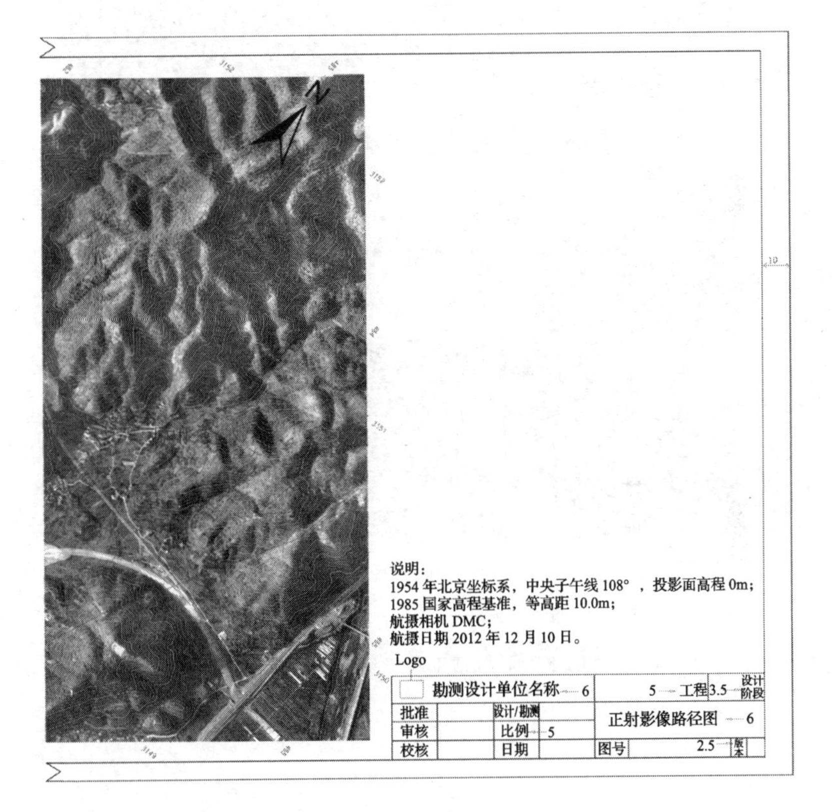

工程正射影像图样图

K.2 厂站工程正射影像图样图

图 K.2　厂站工程正射影像图样图

附录L　地形图分幅和编号

L.0.1　1∶500、1∶1000、1∶2000 地形图可采用 40cm×50cm 矩形分幅或 50cm×50cm 正方形分幅;也可根据需要任意分幅。

L.0.2　地形图编号可采用西南角坐标千米数编号法,也可选用流水编号法或行列编号法。

L.0.3　采用图廓西南角坐标千米数编号时应以 X 坐标在前,Y 坐标在后,1∶500 地形图应取至 0.01km,1∶1000、1∶2000 地形图应取至 0.1km。

L.0.4　带状测区或小面积测区可按测区统一顺序进行编号(图 L.0.4),宜从左到右,从上到下用阿拉伯数字 1、2、3、4……编号。

	1	2	3	4	
5	6	7	8	9	10
11	12	13	14	15	16

图 L.0.4　顺序编号法

L.0.5　行列编号法(图 L.0.5)可用 A、B、C、D 为横向代号,由上到下排列,以阿拉伯数字为纵向代号,从左到右排列,先行后列。

A—1	A—2	A—3	A—4	A—5	A—6
B—1	B—2	B—3	B—4		
	C—2	C—3	C—4	C—5	C—6

图 L.0.5　行列编号法

L.0.6　在同一测区,要求同时提供几种相邻比例尺地形图时,可先用流水号法或行列法给小比例尺地形图编号,再用行列法给大比例尺地形图编号。

L.0.7　采用国家坐标系时,图廓间的千米数应根据需要加注带号和百千米数。

附录 M 变电站或发电厂进出线平面图样图

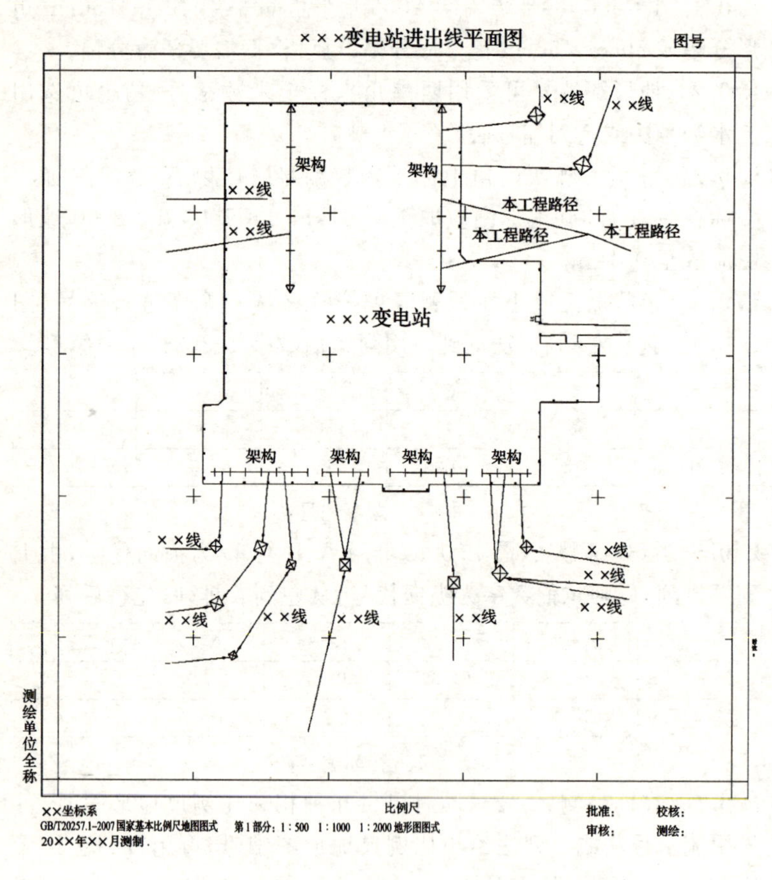

图 M 变电站或发电厂进出线平面图样图

附录N　拥挤地段平面图样图

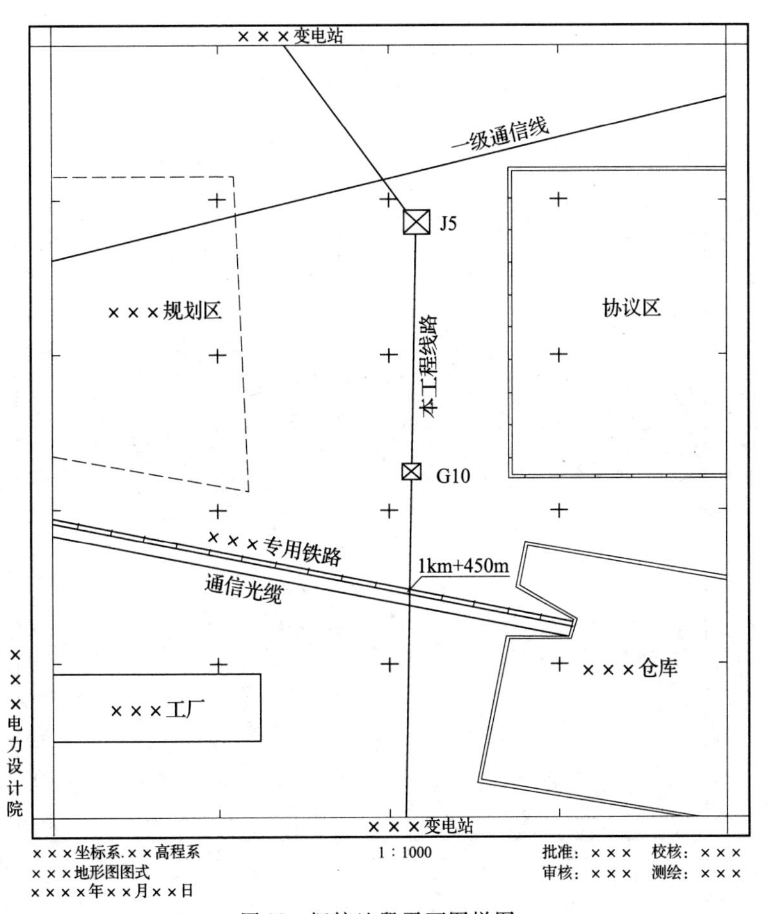

图N　拥挤地段平面图样图

附录P　平行接近线路相对位置平面图样图

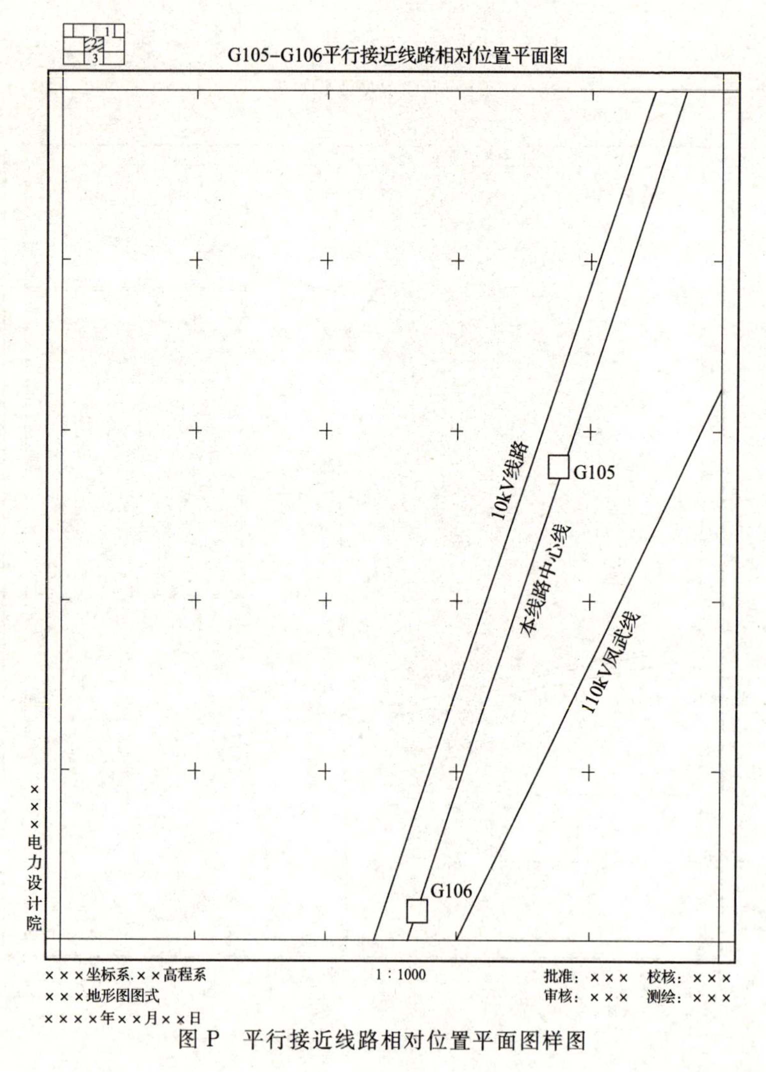

图P　平行接近线路相对位置平面图样图

附录Q 房屋分布图样图

Q.1 房屋分布调查表样表

房屋分布图[G109 ~ G110] 第55页

村庄名称	乔家湾村五组													
房屋序号	1	2	3	4	5	6	7	8	9	10	11	12		
户主姓名	乔家元	乔家元	乔新华	乔新华	乔新华	乔新华	乔金华	乔汉民	乔汉民	乔金华	乔长木	乔长木		
房屋结构	砖	砖	砖	砖	砖	砖	砖	砖	砖	砖	砖	砖		
主房楼层	1	1		2			2	1						
辅房楼层			1		1	1			1	1	1	1		
主房面积	94.7	49.0		80.2			41.6	38.1						
辅房面积			40.4		37.6	7.5			33.8	255.4	54.6	19.1		
总 面 积	94.7	49.0	40.4	160.4	37.6	7.5	83.2	38.1	33.8	255.4	54.6	19.1		
最小偏距	4.6	15.8	33.7	38.7	36.8	48.5	43.8	39.0	32.0	47.1	27.4	31.1		
处理意见														
备 注	在建新房										打米厂	打米厂		

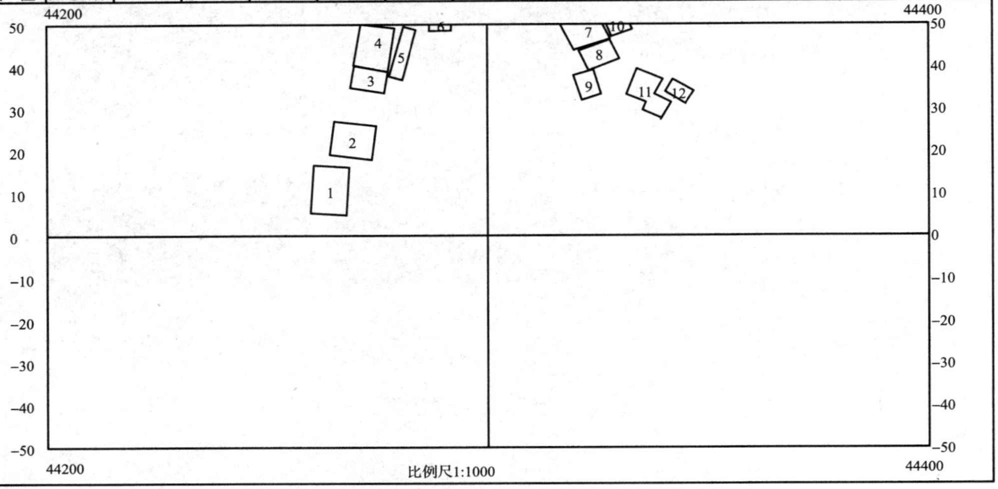

表Q.1 房屋分布图调查表样表

Q. 2　房屋分布图照片样图

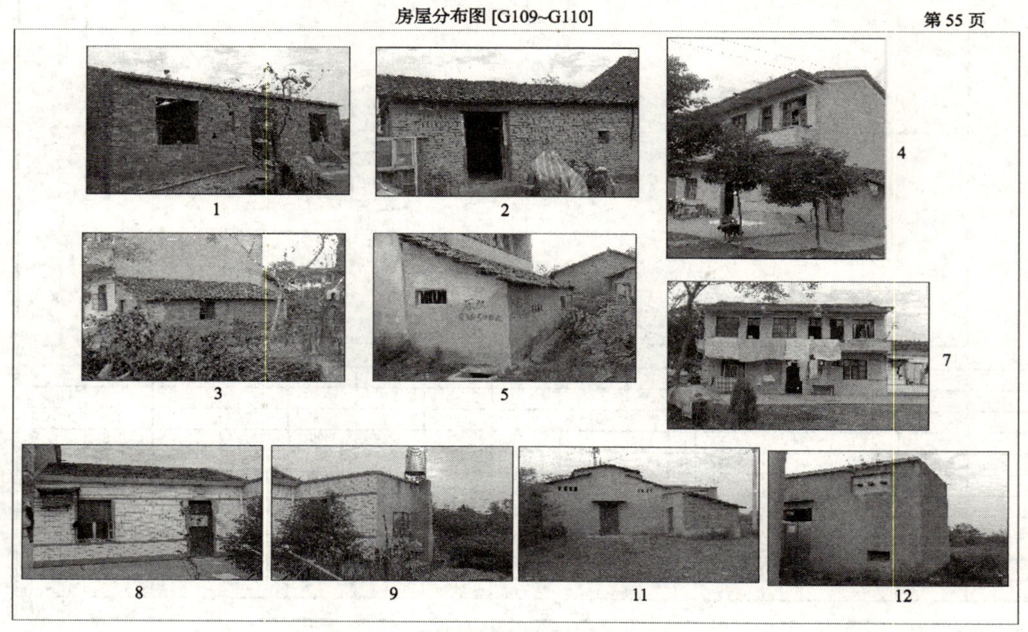

图 Q.2　房屋分布图照片样图

附录 R　平断面图样图

R.1　平坦地区输电线路平断面图样图

图 R.1 见书后插页。

R.2　丘陵地区输电线路平断面图样图

图 R.2 见书后插页。

R.3　山区输电线路平断面图样图

图 R.3 见书后插页。

附录S 管线断面图样图

图S见书后插页。

附录 T　地面摄影测量人工标识铺设规格和要求

T.0.1　像片控制点上的人工标识宜设在花杆或竹杆上，杆要立直竖牢，并应丈量标识中心的标高，至毫米。标识的颜色应与背景有较大的反差。

T.0.2　像片控制点人工标识（图 T.0.2(a)、(b)、(c)）可用红、白漆画在石壁或墙上，像片控制点标识（图 T.0.2(d)、(e)、(f)、(g)）可用木板或油毛毡涂红、白漆而成，所设标识正面应对准摄影站。

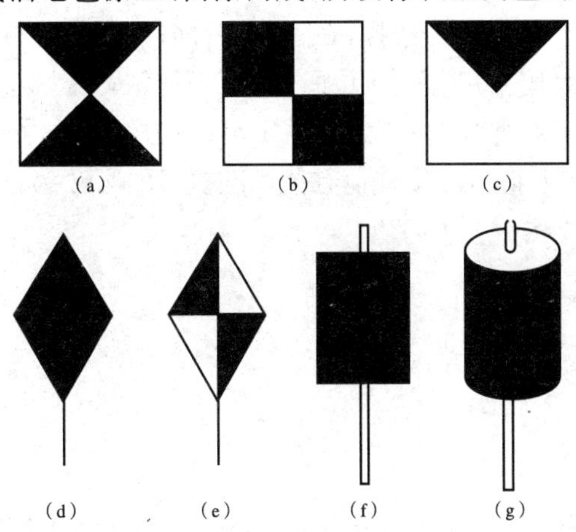

图 T.0.2　像片控制点人工标识

T.0.3　人工标识的大小宜符合下列规定：

1　当摄影纵距 $Y \leqslant 100$m 时，可用花杆加红、白旗作为标识，标识宜为 10cm×1cm；当摄影纵距 $100\text{m} \leqslant Y \leqslant 200$m 时，标识宜为 20cm×2cm。以此类推 $Y = 800$m 时，标识为 80cm×8cm。

2　人工标识在像片上的影像应大于 0.2mm，显示清晰。也可用明显地物作为标识，但应在像片背面画图说明。

本标准用词说明

1 为便于在执行本标准条文时区别对待,对要求严格程度不同的用词说明如下:

1)表示很严格,非这样做不可的:

正面词采用“必须”,反面词采用“严禁”;

2)表示严格,在正常情况下均应这样做的:

正面词采用“应”,反面词采用“不应”或“不得”;

3)表示允许稍有选择,在条件许可时首先应这样做的:

正面词采用“宜”,反面词采用“不宜”;

4)表示有选择,在一定条件下可以这样做的,采用“可”。

2 条文中指明应按其他有关标准执行的写法为:“应符合……的规定”或“应按……执行”。

引用标准名录

《基础地理信息要素分类与代码》GB/T 13923

《地理空间数据交换格式》GB/T 17798

《国家基本比例尺地图图式　第1部分:1∶500　1∶1000　1∶2000地形图图式》GB/T 20257.1

《国家基本比例尺地图图式　第2部分:1∶5000　1∶10000地形图图式》GB/T 20257.2

中华人民共和国电力行业标准

电力工程数字摄影测量规程

DL/T 5138—2014

代替 DL/T 5138—2001

条 文 说 明

修 订 说 明

《电力工程数字摄影测量规程》DL/T 5138—2014，经国家能源局2014年10月15日以第11号公告批准发布。

本标准在原电力行业标准《架空送电线路航空摄影测量技术规程》DL/T 5138—2001的基础上修订而成，上一版的主编单位是国家电力公司中南电力设计院，主要起草人有：王汉汀。

本次修订的主要内容是：

1. 新增的主要内容：增加了厂站工程摄影测量、数码摄影测量、IMG/GNSS辅助摄影测量、无人机低空摄影测量、数字高程模型、数字正射影像图、内业数据的检测与修正、三维辅助优化设计、地面摄影测量等内容。

2. 删去的主要内容：删去了线路测量中选线、定线、定位等工程测量内容。

3. 调整的主要内容："平断面测绘"内容调整为"内业数字测图及检测与修正"，包括输电线路工程数字测图及其检测与修正和厂站工程数字测图及其检测与修正；"航空摄影"内容由原来的"航空摄影"调整为"高空摄影"、"低空摄影"，包括IMG/GNSS辅助摄影的内容。

本次修订的主要原则：

1. 系统性：本标准作为电力工程测量行业标准的重要部分，所规定的工作内容、技术方法、技术要求与其他电力工程测量标准内容相协调，遵循系统性原则。

2. 科学性：本标准规定的技术方法、要求和指标应科学、准确、合理，真实反映数字摄影测量技术水平，遵循科学性原则。

3. 实用性：依据电力工程数字摄影测量实际，提出生产中需规范内容，并按作业的一般流程对这些内容进行约束和规定，标准制订充分考虑可操作性，使标准更加实用，满足实用性要求。

4. 先进性：标准制订参考和汲取了国内、外电力工程数字摄影测量的研究成果，同时对生产中采用新技术、新方法、新工艺作了明确规定和要求，以促进新技术的应用，使标准满足先进性要求。

5. 通用性：编制组通过资料分析、调研咨询、会议讨论和征求意见等多种方式了解国内电力工程数字摄影测量技术现状及全国各地和不同部门对标准内容的要求，在标准制订中考虑生产实际，使标准满足通用性要求。

尚需深入研究的有关问题：

1. 低空摄影测量技术发展很快：摄影平台很多，包括各种无人机、飞艇、热气球等，并且摄影相机多为非量测相机；摄影方式也很多，包括低空、超低空、IMG/GNSS 辅助摄影等。如何统一规范，还有待进一步研究。

2. 数码相机技术发展很快：分辨率越来越高，焦距越来越小，导致飞行高度变化很大，影像比例尺变化也很大，如何统一规范，还有待进一步研究。

为便于广大设计、施工、科研、学校等单位有关人员在使用本标准时能正确理解和执行条文规定，编制组按章、节、条顺序编制了本标准的条文说明，对条文规定的目的、依据以及执行中需注意的有关事项进行了说明。但是，本条文说明不具备与标准正文同等的法律效力，仅供使用者作为理解和把握标准规定的参考。

目　　次

1 总 则

1.0.1 近年来随着数字摄影测量技术的发展，特别是数码摄影测量技术、无人机低空摄影测量技术、IMU/GNSS辅助摄影测量技术的发展及其在电力工程中的广泛应用，迫切需要制定统一的技术标准。本条对制定本标准的目的和意义进行了说明。

1.0.2 本条对本标准适用的范围进行了规定。

1.0.3 本条对本标准条文中限差计算方法进行了规定。本标准中的中误差、闭合差、极限误差及较差，除特别标明外，通常省略正负号。

1.0.4 测量仪器是影响工程测量作业质量的关键因素，应定期到国家法定的计量检定机构进行检定。日常工作中，测绘仪器、工具应加强维护保养，使其保持在良好的状态，以保证测量工作的顺利进行。作业前应进行检查、验证及校准。电力工程摄影测量过程中所使用的专业应用软件是数字摄影测量的基础，使用前应经过鉴定或验证，以保证计算结果准确可靠。

3 基本规定

3.0.1 本条对电力工程摄影测量作业过程控制要求进行了规定。

3.0.2 电力工程数字摄影测量,在使用的全数字摄影系统在完成数字线划地形图的同时,可以根据需求方便地生成数学精度一致,但反映地理特性不同的数字栅格地图、数字正射影像图以及数字高程模型等成果,便于三维设计需求等。

3.0.3 电力工程数字摄影测量的地形类别划分,是根据测区内的地表形态80%以上的倾角大小相对划分,主要是根据不同的地形采用不同的技术方法,满足对应地形的成品精度要求。地形类别划分特别是对输电线路工程摄影测量的贯穿航摄、外控、成品精度过程的要求始终很重要。

3.0.4 航空摄影费用一般较高,为了节约成本,一般在方案确定或审批之后进行。

3.0.6 输电线路工程是线状走廊,一般涉及范围较广;与厂站工程各自的数据精度要求、方法、关注因素不尽相同,综合大量工程实践的要求,规定输电线路工程摄影测量边长投影变形不应大于10cm/km。厂站工程,边长每千米长度变形为2.5cm时,即相对中误差为1/40000,相对误差小于该值已成为工程控制网的基本原则。

3.0.8 航摄比例尺选择的正确与否,直接影响成图的平面和高程精度,因此航摄比例尺的确定,即测图放大倍数的控制,应由成图的平面和高程预期精度来进行估算。航测测图放大倍数应同时满足平面和高程的精度要求。测图放大倍数在平地、丘陵地不宜大于4倍,山地宜为3.5倍~6倍。

3.0.9 电力工程在规划选址、可行性研究、初步设计、施工图等各阶段所采用的地形图比例尺是不一样的，数字摄影测量地形图基本等高距是根据成图比例尺精度要求和地形类别现实（等高线密度适宜）确定的。

4 航 空 摄 影

4.1 一 般 规 定

4.1.1 航空摄影按航高分低空摄影和高空摄影，按记录影像的介质分胶片航空摄影和数码航空摄影。目前，最常用的是高空数码摄影和低空数码摄影。

4.1.2 航空摄影资质分低空摄影资质和高空摄影资质，根据工程需要的摄影类型选择符合资质要求的航摄单位。对于已有航摄资料，可以从测绘局或其他的工程单位获取。

4.2 航摄计划与航摄设计

4.2.1 航摄计划通常由航摄执行单位和委托单位共同协商制订，双方在对计划内容取得一致意见后，签订航摄合同。

4.2.2 厂站工程成图比例尺一般最小为 1：2000，输电线路的成图比例尺一般最小为 1：5000。收集设计用图时，尽量收集比例尺较大的；如果测区无符合要求比例尺的地图，可收集小一级比例尺地形图。

4.2.3、4.2.4 航摄仪的镜头按主距分特宽角、宽角、中角、常角，不同型号的航摄仪镜头所摄像片具有不同特性，并且能适应的地形类别也有所不同。因此，必须根据测区地形类别来选择航摄仪型号及主距。对于高空胶片摄影，条文只对 23cm×23cm 像幅的航摄仪作出规定。常见的航摄仪镜头型号及主距所适用的地形类别见表 1。

高空胶片摄影一般设计航摄比例尺，数码航空摄影一般设计地面分辨率和基高比。基高比是摄影基线长度与相对航高之比，摄影测量的高程精度与基高比成正比，基高比越大，摄影测量的高程精度越高。

表 1 航摄仪镜头型号及主距所适用的地形类别

镜 头 型 号	主距(mm)	适用地形类别
特宽角	f_k=87.5±3.5	平坦地
宽角	f_k=152±3.0	平坦地、丘陵地
中角	f_k=210±5.0	山地
常角	f_k=305±3.0	山地或城建区

注:1 f_k为主距。

2 当摄影比例尺分母小于15000时,f_k=152±3.0(mm)也适应于山区。

4.2.5 输电线路工程采用高空数码摄影时,一般采取单航带摄影,像片无旁向重叠度。

4.2.7 构架航线是指摄影测区内,为减少像片控制点的布设,加飞的若干与测图航线近似垂直的航线,同义词有控制航线和骨架航线。

4.2.10 选择胶片航摄仪时,要考虑航摄仪器的压平系统。对于数码航摄仪,要考虑数据存储和处理单元的各项指标是否能达到摄影要求。

4.2.12 2条航线方案的布设如图1,4条航线方案的布设如图2。

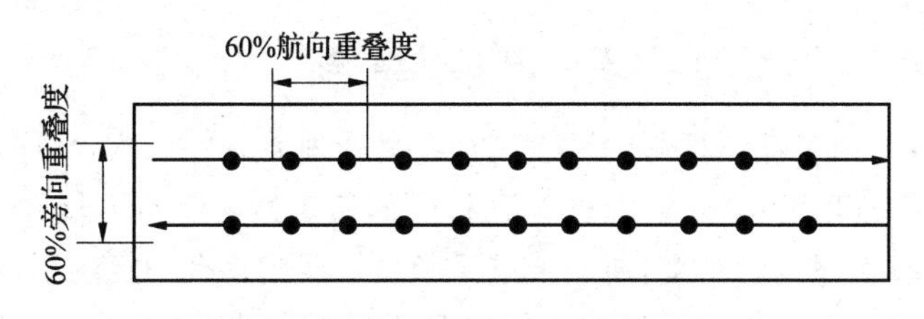

图1 2条航线检校场布设示意图

●——像主点位置;→——航线方向

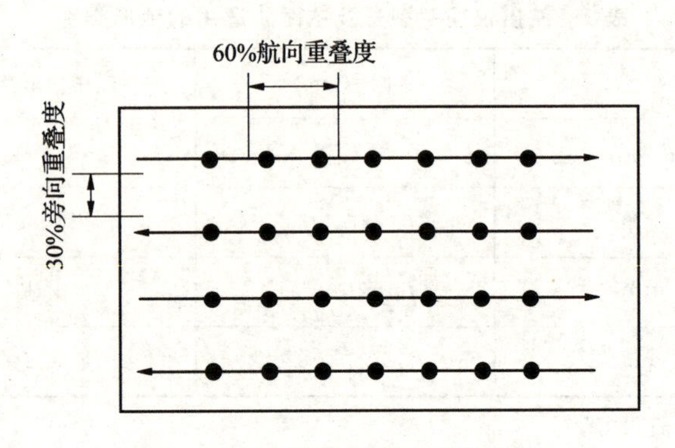

图 2　4 条航线检校场布设示意图

●——像主点位置；→——航线方向

4.3　高 空 摄 影

4.3.1　航摄是数字摄影测量的基础，航片的质量直接影响到摄影测量最终成品的质量，航摄飞机的飞行安全直接影响到飞行员、飞机、地面人员的生命财产安全。我国对空域管理较严，其直接影响到我国军事机密保密和国家安全。

4.3.3　IMU/GNSS 辅助航空摄影通过惯性量测单元（IMU）和全球定位系统（GNSS）的组合测量技术，获取影像的外方位元素。IMU 或 GNSS 的记录信号出现问题，或者联合解算时精度超限，都应进行补摄。

4.4　低 空 摄 影

4.4.1　用于低空摄影的低空飞行器易受外界条件干扰，从而影响低空飞行器的稳定性，而低空飞行器的稳定性又影响着航摄的安全和摄影测量的精度，所以低空摄影飞行器应具有一定的稳定性。一定的稳定性主要指低空飞行器要达到一定的抗风能力，超轻型飞行器航摄系统应具备 5 级风力气象条件下安全飞行的能力，无人飞行器航摄系统应具备 4 级风力气象条件下安全飞行的能力。

一旦执行航摄的低空飞行器发生意外，必须有相应的应急预案，减少人员伤亡和财产损失。

4.4.2 低空摄影相对航高不超过1000m。

4.4.3 低空摄影一般为云下摄影，影像上不应出现云影。

4.5 提交资料

4.5.1 本条规定适用于高空胶片摄影、高空数码摄影、低空数码摄影。对于高空胶片摄影，提交的影像资料应包括影像负片和正片；对于数码摄影，提交的影像资料包括影像数据和输出片。高空胶片摄影的质量检查报告应包括航摄底片压平质量检测报告、航摄底片密度检测报告、航摄底片感光测定报告和底片摄影处理冲洗报告。提交的其他相关资料一般包括航摄技术设计书、航摄军区批文、像片中心点坐标及中心点接合图、附属仪器记录数据等。

4.5.2 本条规定适用于IMU/GNSS辅助航空摄影，除了包括数码摄影提交的资料外，增加了IMU/GNSS的观测和解算资料、检校场的观测和计算资料。具体包括以下内容：

(1)IMU/GNSS相关纸质文档资料包括以下内容：

1)IMU/GNSS辅助航空摄影技术设计书；

2)IMU/GNSS设备检定资料；

3)航摄飞行IMU/GNSS记录报告；

4)检校场影像资料清单；

5)像片外方位元素成果表；

6)IMU/GNSS数据处理检查手簿；

7)IMU/GNSS辅助航空摄影项目工作总结报告；

8)IMU/GNSS辅助航空摄影资料移交书；

9)其他相关资料。

(2)地面控制测量相关纸质文档资料包括以下内容：

1)IMU/GNSS辅助航空摄影地面测量技术设计书；

2)地面测量设备检定资料；

3)基站、像控点和检查点点之记；

4)基站、像控点和检查点 GNSS 观测手簿；

5)联测国家大地点的 GNSS 观测手簿；

6)水准联测记录手簿；

7)地面基站点点位测量报告；

8)基站、像控点和检查点 GNSS 成果，含联测网图；

9)水准联测成果，含水准路线图；

10)地面测量资料检查报告；

11)IMU/GNSS 辅助航空摄影地面测量技术总结报告；

12)其他相关资料；

(3)刺点片包括检校场的像控点和检查点刺点片。

(4)IMU/GNSS 和地面控制测量的数据资料包括以下内容：

1)机载 IMU/GNSS 原始观测数据；

2)基站同步观测数据；

3)基站、像控点和检查点 GNSS 观测数据；

4)联测国家大地点的 GNSS 观测数据；

5)GNSS 现场观测照片；

6)检校场航摄影像数据；

7)其他相关资料。

5 影像数据预处理

5.1 一般规定

5.1.1～5.1.3 数据预处理一般分为高空摄影影像预处理、低空摄影影像预处理和 IMU/GNSS 数据预处理，而高空摄影影像预处理又包括胶片摄影影像预处理和数码摄影影像预处理。目前，工程中一般采用数字摄影测量系统对影像数据进行处理。因此，对于胶片摄影影像，需要对底片进行扫描形成数字化影像，对于数码摄影影像和数字化后的胶片影像，为保证影像清晰、反差适中、色调正常，需对其进行影像预处理。另外，利用 IMU/GNSS 数据时，为得到准确的影像外方位元素，需确保联合解算后的数据精度。

5.2 高空摄影影像预处理

5.2.1 数码摄影影像预处理主要是利用数字化手段对原始摄影影像数据进行处理，以消除辐射影响、畸变影响，使影像清晰，有利于后期空三加密处理，保证空三成果精度。本条规定与现行相关国家标准的规定要求一致。

5.2.2、5.2.3 胶片摄影影像预处理主要是为了将摄影负片经晒印、扫描等处理，得到供外业控制与调绘使用的像片和供内业空三加密处理所需的数字化影像。对胶片摄影影像进行晒印处理时，处理流程较为复杂，为保证晒印影像质量合格，相关指标需严格按照本规定执行，如不合格需重新处理；胶片摄影影像进行扫描处理时，应首先确定扫描数字化摄影影像分辨率，以满足后期测图及成图对影像分辨率的要求，并保证扫描后的数字化影像在辐射分辨率、饱和度、色调等方面均合格。在计算最低扫描分辨率时，高程精度取0.5m，像片大小为230mm×230mm，重叠度为65%，得到像片基线长度为8.05×104μm，平均相对航高取1500m。本条规定与现行相关国家标准的规定要求一致。

5.3 低空摄影影像预处理

5.3.1 原始低空摄影一般采用非量测相机进行，所获取的原始影像一般为JPEG格式，该数据格式是一种压缩编码的数据格式，为保证空三加密对影像质量要求，可将JPEG格式影像数据转换为TIFF或其他数据格式。

5.3.2 原始低空摄影一般采用非量测相机进行，所获取的影像均需经过畸变差改正后方可使用，畸变差改正可在建立工程进行空三加密前进行，也可以在空三加密时建立相机文件时输入相关畸变参数对影像进行畸变差改正。

5.3.3 为保证空三加密时自动提取的连接点精度、空三成果精度以及成图质量，在低空摄影影像数据质量较差、反差较小的情况下，可对影像进行图像增强处理。

5.4 IMU/GNSS数据预处理

5.4.1 为处理IMU/GNSS数据，需将IMU/GNSS原始观测数据分离成GNSS观测数据、IMU记录数据和曝光时标(event mark)等数据，方便对GNSS数据进行处理。

5.4.2 将解算的GNSS数据和IMU数据进行联合处理后，并得到偏心角以及线元素偏移值，利用其对GNSS数据和IMU数据进行联合处理后的像片位置和姿态进行改正。得到的像片外方位元素需转换至工程坐标系，以保证后续空三处理及成果输出满足工程需求。

5.4.3、5.4.4 为保证解算后的IMU/GNSS数据满足要求，厂站工程需对平面、高程和速度偏差进行检查。厂站工程航摄时需布设基站，利用差分GNSS定位技术，将IMU和GNSS数据联合解算，以保证成果精度。输电线路工程宜采用差分 GNSS 定位技术，IMU 和 GNSS 数据联合解算精度按厂站工程 1∶2000 成图比例尺要求进行规定。

5.4.5、5.4.6 为得到偏心角以及线元素偏移值，需要对检校场进行空中三角测量处理，输电线路工程偏心角及线元素偏移值按厂站工程 1∶2000 成图比例尺要求进行规定。

5.5 提交资料

5.5.1～5.5.4 规定了胶片摄影影像、高空数码摄影影像、低空摄影影像和 IMU/GNSS 数据预处理后应提交的资料。对于胶片摄影影像和高空数码摄影影像，需要 2 套像片供外业控制与调绘使用；低空摄影影像处理时，有时需要将 WGS84 坐标系下的曝光点数据转换为工程坐标系，因此处理后需提交曝光点坐标文件及姿态参数文件，此外需要利用相机检校文件对影像进行畸变差改正，因此需提供畸变差改正后的影像数据，由于影像数量多，因此低空摄影影像不再进行单片打印，而采用先制作镶嵌图，后采用打印的方式提供外控调绘用片；原始 IMU/GNSS 数据需要和基站数据进行联合解算或利用精密单点定位的方法解算，并利用检校场数据得到准确的像片外方位元素供空三加密使用，因此需提交改正后的像片外方位元素成果数据供后续作业使用。

6 基础控制测量

6.1 一 般 规 定

6.1.2 将平面控制点与高程控制点布置为共点，在 GNSS 测量和导线测量中，可同时进行平面和高程控制测量，提高观测效率。如有需要，也可单独布设高程控制点。

6.1.3 输电线路工程测区属于宽度很窄而长度很长的狭长区域，采用 GNSS 测量方法进行控制测量是较好的选择，而其他测量方式则不太合适。

6.1.4 厂站工程测区一般不太大，且目前主流的测绘仪器是 GNSS 和全站仪，因此平面控制网的建立推荐采用 GNSS 测量或导线(网)测量方法，而测边网和边角网等方法较少使用。

6.1.6 GNSS 主控网点附近用红白旗或红油漆等作标识，可以起到警示和保护的作用，记录点之记是为了便于寻找使用。

6.2 输电线路工程基础控制测量

6.2.1 GNSS 主控网点位一般选在靠近路边、交通方便、视野开阔、符合 GNSS 接收条件的位置，在 15°截止高度角以上空间不宜有障碍物。考虑到 RTK 电台信号的传递，也可将主控网点布设在开阔的山头。

6.2.2 本条对输电线路 GNSS 主控网精度提出要求，这样的平面和高程精度要求，能够满足输电线路工程的需要。

6.2.3 GNSS 主控网与国家平面和高程控制点联测，主要从两方面考虑：一方面是统一测量资料的要求；另一方面，建立 GNSS 基础控制网后，测量成果可以长久使用。

当输电线路与其他坐标系统发生关系时，也可通过控制点联测进行坐标转换，联测点数不宜少于3个。

当线路较长时，可根据实际情况选择多条中央子午线进行投影，一般每200km选择一条投影子午线。

输电线路工程高程系统可根据需要采用1956年黄海高程系统或1985国家高程基准。

6.2.4 输电线路进出变电站（换流站）时，需要龙门架、终端塔和线路在同一坐标系统中的准确位置，因此线路与变电站（换流站）坐标系统应进行联测，并求出两个系统的转换关系。

6.2.5 线路跨越江、河、湖泊时，水文资料如通航水位、洪痕点高程等，直接影响线路设计结果，因此应联测水文资料高程系统与线路高程系统之间的准确关系，将水文资料转换成线路高程系统并标注到平断面图上。

6.3 厂站工程基础控制测量

6.3.3 GNSS测量平面控制网的主要技术指标与现行国家标准《工程测量规范》GB 50026保持一致。

6.3.4 考虑到工程采用数字摄影测量手段，导线测量只提出四等和一、二、三级的技术指标，其要求和现行国家标准《工程测量规范》GB 50026保持一致。

6.3.5 水准测量只提出四等、五等技术指标，其要求和现行行业标准《火力发电厂工程测量技术规程》DL 5001一致。

6.3.8 本条提出四等、五等三角高程测量技术指标，其要求和现行行业标准《火力发电厂工程测量技术规程》DL 5001一致。

6.3.9 本条界定了GNSS高程测量只可在四等、五等高程测量范围中使用，且一般只限于平坦地和丘陵地。其要求和现行行业标准《火力发电厂工程测量技术规程》DL 5001一致。

6.4 提 交 资 料

6.4.1 输电线路工程和厂站工程基础控制测量完成后，应提交控制网平差计算书、控制测量技术报告和点之记。在报告中说明任务要求、参加人员、技术依据、对原有测量资料的精度分析和利用情况，以及平面和高程控制系统所采用的系统、起算数据、联测情况、精度分析、投影高程面和中央子午线，点之记可附在报告后。如果采用了“当地投影点”方式进行投影，还需要在报告中说明当地投影点的平面位置与高程。

基础控制测量技术报告也可与外控报告合并编写。

7 像片控制测量

7.1 一般规定

7.1.1 本条规定了输电线路工程高空摄影拟算像控点的精度要求。

7.1.2 本条规定了厂站工程高空摄影像片像控点的精度要求，与现行国家标准《1∶500 1∶100 1∶2000 地形图航空摄影测量内业规范》GB/T 7930、《1∶500 1∶1000 1∶2000 地形图航空摄影测量外业规范》GB/T 7931、《1∶5000 1∶10000 地形图航空摄影测量内业规范》GB/T 13990、《1∶5000 1∶10000 地形图航空摄影测量外业规范》GB/T 13977 相关内容和要求是一致的。

7.1.3 本条明确了像片控制点在像片上的位置要求，这些规定与现行相关国家标准的规定相一致。像片上的各类标志，是指摄影框标、摄影编号、气泡影像和压平线等。

7.1.5、7.1.6 这两条对像片控制测量采用的平面和高程系统、控制点联测方法进行了一般规定。目前电力工程中一般采用 GNSS 进行控制点测量。

7.2 输电线路工程高空摄影像片控制点布设

7.2.4 单航线高空航摄影像应每隔 n 条基线布设 1 对平高像控点，胶片航摄时 n 按下列公式进行估算。

$$M_S = \pm 0.28K \times m_q \sqrt{n^3 + 2n + 46} \tag{1}$$

$$M_h = \pm 0.088 \frac{H}{b} m_q \sqrt{n^3 + 23n + 100} \tag{2}$$

式中：M_S——加密点的平面中误差(mm)；

M_h——加密点的高程中误差(mm)；

K——像片放大成图倍数；

m_q——视差量测的单位权中误差(mm)；

H——相对航高(m)；

b——像片基线长度(mm)；

n——航向基线跨度。

通常情况下：$m_q=0.020$mm，b的取值按平坦地、丘陵地、山地和高山地分别按60%、65%、68%和70%航向重叠度计算。

数码航摄时n可按公式7.2.4进行估算，也可按下列改进公式进行估算。

$$M_S=\pm 0.158\frac{H}{f}m_q\sqrt{n^3+114n+119} \tag{3}$$

$$M_h=\pm 0.069\frac{H}{b}m_q\sqrt{n^3+12n+95} \tag{4}$$

式中：M_S——加密点的平面中误差(m)；

M_h——加密点的高程中误差(m)；

H——相对航高(m)；

f——相机主距(mm)；

b——像片基线长度(mm)；；

m_q——视差量测的单位权中误差(mm)；

n——航向基线跨度。

通常情况下：m_q取1/3像元大小，b的取值按平坦地、丘陵地、山地和高山地分别按60%、65%、68%和70%航向重叠度计算。

解析空中三角测量的高程精度指标值按照0.5m确定，按公式(1)和(2)进行估算，常用航摄影像航向基线跨度间隔n值如下表：

表 2　控制点航向基线跨度值估算表

相机类型	航摄比例尺分母	不同地形对应的航向基线跨度				备注
		平坦地	丘陵地	山地	高山地	
50.2(CCD 像素 9μm 像幅 72×103.5)	23000	10	10	10	9	(主距 50mm)
	24000	10	10	9	9	
	25000	10	10	9	9	
	26000	10	10	9	8	
	27000	9	9	8	8	
	28000	9	9	8	8	
	29000	9	9	8	7	
	30000	8	8	8	7	
50.2(CCD 像素 6.8μm 像幅 68×98.6)	23000	12	12	10	10	
	24000	12	11	10	9	
	25000	11	10	9	9	
	26000	11	10	9	9	
	27000	11	10	9	9	
	28000	10	9	9	9	
	29000	10	9	8	8	
	30000	10	9	8	8	
70(CCD 像素 6μm 像幅 67.86×103.86)	18000	14	13	12	12	(主距 70mm)
	19000	14	12	11	11	
	21000	13	12	11	11	
	22000	13	11	11	10	
	23000	12	11	10	10	
	24000	12	11	10	9	
	25000	11	10	10	9	
	26000	11	10	9	9	

续表 2

相机类型	航摄比例尺分母	不同地形对应的航向基线跨度				备注
		平坦地	丘陵地	山地	高山地	
92(CCD 像素 7.2 μm 像幅 82.08×87.84)	16000	12	11	10	10	(主距 92mm)
	17000	12	11	10	9	
	18000	11	10	9	9	
	19000	11	10	9	8	
	20000	10	9	8	8	
	21000	10	9	8	8	
	22000	9	8	8	7	
	23000	9	8	7	7	
92(CCD 像素 5.6 μm 像幅 80.64×84.58)	16000	15	14	13	12	
	17000	15	13	12	12	
	18000	14	13	12	11	
	19000	13	12	11	11	
	20000	13	12	11	10	
	21000	12	11	10	10	
	22000	12	11	10	9	
	23000	12	10	10	9	
100.5(CCD 像素 7.2μm 像幅 67.8×103.9)	16000	8	8	8	8	(主距 100.5mm)
	17000	8	7	7	7	
	18000	8	7	7	7	
	19000	7	7	7	7	
	20000	7	6	6	6	
	21000	6	6	6	6	
	22000	6	6	6	6	
	23000	6	6	6	6	
100.5(CCD 像素 6μm 像幅 67.86×103.86)	16000	12	11	11	10	
	17000	11	10	10	9	
	18000	11	10	10	8	
	19000	10	9	9	8	
	20000	10	9	9	8	
	21000	10	8	8	7	
	22000	9	8	8	7	
	23000	9	8	8	7	

续表 2

相机类型	航摄比例尺分母	不同地形对应的航向基线跨度				备注
		平坦地	丘陵地	山地	高山地	
105.2(CCD 像素 9μm 像幅 67.5×103.5)	16000	8	7	6	6	(主距 105.2mm)
	17000	8	7	6	6	
	18000	7	6	6	5	
	19000	7	6	5	5	
	20000	6	5	5	4	
	21000	6	5	5	4	
	22000	6	5	4	4	
	23000	5	5	4	4	
120(CCD 像素 12μm 像幅 92.16×165.888)	16000	7	6	6	5	(主距 120mm)
	17000	7	6	5	5	
	18000	6	5	5	5	
	19000	6	5	4	4	
	20000	6	5	4	4	
	21000	5	4	4	4	
	22000	5	4	3	3	
	23000	5	4	3	3	
152(胶片摄影)	8000	10	10	9	9	(主距 152mm)
	9000	10	9	8	8	
	10000	9	8	7	7	
	11000	8	7	6	6	
	12000	8	7	6	5	
	13000	8	6	5	5	
	14000	7	6	5	5	
	15000	7	5	5	4	

续表 2

相机类型	航摄比例尺分母	不同地形对应的航向基线跨度				备注
		平坦地	丘陵地	山地	高山地	
210(胶片摄影)	8000	8	7	7	6	(主距 210mm)
	9000	7	6	6	5	
	10000	7	6	5	5	
	11000	6	5	4	4	
	12000	5	4	4	3	
	13000	5	4	3	—	
	14000	4	3	3	—	
	15000	4	3	3	—	

根据表中估算的航向跨度计算实地距离，统计结果是胶片摄影时航向控制点实地距离为 4 km～6km，数码摄影时航向控制点实地距离基本为 5km～7km。主距 100mm～120mm 的摄影仪使用本标准公式(3)和(4)按照解析空中三角测量的高程精度指标分别按照平坦地 0.5m、丘陵 0.5m、山地 0.80m、高山地 1.20m 估算，航向控制点实地距离也在 5km～7km 范围内。由于输电线路的走向与航线方向基本一致，为方便作业，本条第一款按线路长度规定航向控制点间隔。

7.2.5 航线网法布设像控点的旁向基线跨度和航向相邻控制点间的基线数估算按本标准第 7.2.4 条的条文说明相关指标估算。

7.3 输电线路工程低空摄影像片控制点布设

7.3.1、7.3.2 应根据空中三角测量精度要求设计布点方案。输电线路平断面图精度要求与 1∶2000 地形图基本相当，连接点平面中误差应不大于 0.6m(图上 0.3mm)，高程中误差应不大于 0.3m。对于光线束法区域网平差，可按公式(5)、(6)进行精度估算(假设旁向重叠 20%考虑，按旁向间隔 1 条航线布设平高控制点)：

$$\frac{\sigma_{x,y}}{\sigma_0}=0.28+0.15m \tag{5}$$

$$\frac{\sigma_z}{\sigma_0}=0.93+0.19i \tag{6}$$

式中：σ_0——为像点观测中误差，认为是单位权中误差；

$\sigma_{x,y}$——用来衡量区域网平差的平面精度(像方)；

σ_z——用来衡量区域网平差的高程精度(像方)；

m——区域网中的航带数；

i——航向跨度。

以佳能5DⅡ 35mm相机为例，假设一个区域网航带数为10，每条航带包含20个模型，航向重叠度65%，旁向重叠度20%。采用上述布点方案，可知该区域网平差的平面精度为$1.78\sigma_0$，高程精度为$2.83\sigma_0$。设$\sigma_0=3\mu m$(像素大小的一半)，则平面精度优于$6\mu m$，高程精度优于$9\mu m$。如成图比例尺为1∶2000，对应的物方空间高程精度优于0.2m，完全满足平断面图精度要求。这说明针对不同的地形条件和成图精度要求，控制点间的航向跨度达到15条至20条基线是完全可行的。

当然，上述分析是单纯从偶然误差出发的，未顾及各种残余的系统误差的影响。为了验证上述理论，我们对一些工程项目进行了统计，证实控制点间的航向跨度达到15条至20条基线，旁向跨度达到2条至4条航线，实际成果精度能够满足成图要求。

7.3.3 受传感器和飞行平台的影响，低空摄影质量往往不够稳定，个别区域可能发生精度突变的情况。为了提高低空摄影测量的可靠性，结合实际工作特点，本条作出了布设和测量检查点的规定。

7.4 输电线路工程IMU/GNSS辅助摄影像片控制点布设

7.4.1～7.4.3 输电线路工程通常为单航线航摄，检校场的设计推荐使用2条航带方案。检校场选择一段长度适中、地形起伏较小线路可以最低限度地减少航摄、外业控制测量及内业处理的工作量，同时植被覆盖少、地物清晰又能够准确地进行连接点和像控点的选择，能够保证检校场的解算精度。摄区摄影基准面的高度，以摄区内具代表性的高点平均高程与低点平均高程之和的1/2求得，检校场的基准面应在整个工程中有代表性。检校场的布设和检校场像控点的布设要求参考现行国家标准《IMU/GPS辅助航空摄影技术规范》GB/T 27919—2011相关内容。本节中像控点的布点方法适用于单航带航飞行情况，双航线或多航线的情况可参考本章厂站工程区域网像片控制点的布设方法。

7.5 厂站工程高空摄影像片控制点布设

7.5.1 随着技术设备和作业技术的发展，现在各单位主要采用区域网布点法作为厂站工程高空摄影像片像控点的布设方案，但也可根据实际需要采用全野外法和航线网法。

7.5.2、7.5.3 规定了全野外布点的基本要求，这些规定与现行相关国家标准的规定相一致。

7.5.4 规定了航线网布点的基本要求，这些规定与现行相关国家标准的规定相一致。

7.5.5 本条规定了数码航摄影像区域网布点法的基本要求。

1 本款规定了区域图形及划分的原则，与现行相关国家标准的规定是一致的。

2 本款规定了平高控制点的布设原则，与现行相关国家标准的规定是一致的。

3 本款规定了平高控制点的旁向航线跨度和航向跨度，关于航向跨度的说明见本条第5款。

4 本款规定了高程控制点的布点方式，与现行相关国家标准的规定是一致的。

5 近年来，随着数码成像技术的快速发展，与传统航摄胶片相机比较，数字成像系统具有地面分辨率高、辐射分辨率高等特点，视差的量测误差大幅度提高。对于数码航摄影像像片控制点布设方案，由于各数码航摄相机的差异较大而难以统一，也没有统一的理论精度估算公式可以参考，需要各生产单位在实践中摸索尝试。大量生产实践表明：在数码影像的像片控制测量中，按现行航空摄影测量外业规范布设像控点，常规光束法区域网平差精度通常为规范允许值的 50% ～ 70% ，保险系数较大，因此减少像控点数量后，加密成果精度仍有可能达到规范要求。

王之卓根据偶然误差的传播规律，推导了解析摄影测量阶段单航线最弱点外的平面和高程精度估算公式，其中宽角摄影精度估算公式见附录 G 式(G.0.1-1)、式(G.0.1-2)。

对于数码航摄影像，在模型连接和平差计算方面与胶片框幅式影像相比，除影像记录方式、像幅大小不一致外，平差理论和模型完全一致，因此采用公式(G.0.1-1)和公式(G.0.1-2)进行数码航摄影像的控制点航向跨度估算。利用当前常见的数码相机进行精度估算，采用的 9 种相机参数如表 3：

表 3　数码航摄相机参数表

序号	焦距(mm)	像素大小(um)	像幅宽(mm)	像幅高(mm)
1	50.2	9.00	72.00	103.50
2	50.2	6.80	68.00	98.60
3	70.0	6.00	67.86	103.86
4	92.0	7.20	82.08	87.84
5	92.0	5.60	80.64	84.58
6	100.5	7.20	67.80	103.90
7	100.5	6.00	67.86	103.86
8	105.2	9.00	67.50	103.50
9	120.0	12.00	92.16	165.89

以公式(G.0.1-1)和公式(G.0.1-2)针对每种数码相机参数计算控制点航向基线跨度，计算时考虑航摄比例尺的要求，根据实

际基线距离转化为航向距离跨度，进行统计得出附录 H 的数码影像平高控制点和高程控制点的航向距离跨度要求。计算时 m_q 取 1/3 像元大小，b 的取值按平坦地、丘陵地、山地和高山地分别按 60%、65%、68%和 70%航向重叠度计算。

6 本款规定了不规则区域网的布点要求，与现行相关国家标准的规定是一致的。

7.5.6 规定了胶片影像区域网布点应满足的相关要求。

1 本款规定了区域图形及划分的原则，与国家标准的规定是一致的；

2 本款规定了平高控制点的布设原则及旁向控制点跨度，与国家标准的规定是一致的；

3 本款规定了高程控制点的布点方式，与国家标准的规定是一致的；

4 采用《1∶5000 1∶10000 地形图航空摄影测量外业规范》GB/T 13977 中航线网解析空中三角测量的精度估算公式进行估算。航向相邻控制点间的基线数估算采用本标准附录 H 中公式(H.0.1-1)和公式(H.0.1-2)。

7.6 厂站工程低空摄影像片控制点布设

7.6.1 本条规定是结合理论分析和工程实践经验作出的，为稳妥起见，取值较理论推算结果缩小一半。由于目前低空摄影测量技术应用于 1∶500 地形图测绘尚不普遍，技术还不十分成熟，因此本条规定暂不列入 1∶500 地形图的相关内容。

7.7 厂站工程 IMU/GNSS 辅助摄影像片控制点布设

7.7.1 场站工程通常为区域网，检校场的设计推荐使用 4 条航带方案。检校场的布设和检校场像控点的布设要求参考了《IMU/GPS 辅助航空摄影技术规范》GB/T 27919—2011 的相关内容。

7.7.2 加密分区的大小影响空中三角测量精度。加密分区划分大小与摄影比例尺等因素有关。条文中推荐的分区划分大小对应1∶500成图比例尺精度要求，成图比例尺减小时分区划分可以适当增加航线数和基线数量。

7.7.3 区域网的像控点布点方案参考了《数字航空摄影测量 控制测量规范》CH/T 3006—2011中IMU与GPS辅助光束法区域网平差布点的要求。

7.8 像片控制点选刺与整饰

7.8.1、7.8.2 像片控制点宜以7mm直径的圆形在像片上表示。像片控制点的选刺与整饰的要求，与现行相关国家标准规定的相一致。像片控制点的布设及选刺点要求，与采用的测量手段无关。

7.9 像片控制点测量

7.9.1 基础控制测量的精度高于像片控制点测量，应先进行基础控制测量的平差计算，然后平差计算像片控制点。

7.9.2～7.9.8 这几条规定了GNSS测量的作业要求。输电线路工程像片控制点测量一般使用同步环测量或单基线解算，提高观测时间是为了提高测量的准确度。

7.9.9～7.9.11 这几条规定了采用RTK测量像片控制点时的技术要求。单基准站RTK测量是指只利用一个基准站，通过数据通信技术接收基准站发布的载波相位差分改正参数进行RTK测量；网络RTK测量指在一定区域内建立多个基准站，对该地区构成网状覆盖，并进行连续跟踪观测，通过这些站点组成卫星定位观测值的网络解算，获取覆盖该地区和某时段的RTK改正参数，用于该区域内RTK用户进行实时RTK改正的定位方式。

7.10 提交资料

7.10.1、7.10.2 这两条规定了像片控制测量成果整理与提交资料的要求，与现行的国家标准规定是一致的。

8 像片调绘

8.1 一般规定

8.1.1 在航摄像片上，根据成像规律和影像特征（影像的形状、大小、色调、阴影、纹理、图案、相关位置和人类活动规律等），对地物地貌的内容、性质、特征及名称等进行辨认并确定影像所代表的内容、识别出地表面上相应物体的性质和境界，称之为像片判读。依据像片判读技术，补充和完善航摄像片信息内容的工作称之为像片调绘。像片调绘主要是确定地物、地貌的类别和性质。

8.1.2、8.1.3 像片调绘应以室内判调为主，只将遗留的难点放到野外调绘去解决。野外调绘重点是放在交叉跨越、平行接近、新增地物、变化地形和微地物、微地貌及其他地物。调绘时一般只采用简单工具（立体镜、刺点针、皮尺、小钢卷尺、花杆等），必要时才采用仪器实测（如处于临界值的交叉角、转角度，较高的跨越高度，变化地形和新增地物的补测等），可采用全站仪或手持测距测高仪等。

8.1.4 一般情况下，像片调绘主要用于中小比例尺的地形调绘，比例尺最大也不超过1：2000。对于大比例尺测图，如1：500、1：1000依像片调绘则很难达到精度要求，故而都采用放大的纸质打印图进行调绘，放大倍数视地物复杂程度而定，但一般都不小于成图比例尺的1.5倍。调绘片上应有调绘者的签署和调绘日期，便于追溯和资料完整性的要求。

8.1.5 工程建设一般要避开军事禁区、军事管理区，因此禁区内的地物一般不需要表示，根据设计需要可以只表示禁区范围、围墙边界等。如果需要进入禁区测量时，应获得军事管理部门的批准，未经批准不可擅自进入测量。

8.2 输电线路工程像片调绘

8.2.1 根据输电线路的设计阶段划分和作业流程，航测调绘可以分为路径调绘和详细调绘，两个阶段的调绘工作其作业范围和工作深度有所不同，路径调绘的目的是为线路走径优化服务，详细调绘的目的是为杆塔排位服务。当然，根据工作需要，两个阶段的调绘工作也可以合并进行。

8.2.2 野外调绘前，充分搜集利用前期成果和已有资料，一是便于野外调绘工作，二是更有针对性地对这些影响线路的地物现场调查核实。

8.2.3、**8.2.4** 路径调绘即线路走廊调绘，调绘范围为路径走廊内线路中心左右各300m，为后续路径优化留有裕度，对于300m外更远距离的影响线路路径的重要地物，根据设计需要调查测量。对线路路径有重要影响的地物主要包括采石场、矿场、油库油站等工矿设施、电视发射塔站、无线电塔站、民航导航台、地震监测站、军事设施、庙宇、名木古树以及文物古迹等。

8.2.5 详细调绘的范围和线路平断面成图范围一致，但当线路走径存在不定因素时，调绘范围应扩大。

8.2.6、**8.2.7** 线路工程详细调绘的内容主要归结为确定平面位置和高度两项。平面位置和属性信息，主要采用现场调查定性的手段；对重要交叉跨越，电压等级超过35kV(包括35kV)的电力线跨越的位置，还需通过调绘将杆塔平面位置准确刺出。

8.2.8、**8.2.9** 对于架空电力线、通信线应采用仪器实测其杆塔高度，如设计有要求时还应测量路径跨越电力线的弧垂点的高度。对于10kV及以下电力线、等级通信线、架空光缆、架空索道等架空地物，调绘跨越点线高及杆高。对于线高及杆高在10m以下交叉跨越，可以采用花杆或竹杆直接量取。对于10kV及以上电力线，考虑到安全生产应采用仪器实测。一、二级通信线及地下电缆与线路的交叉角接近临界值时，应采用仪器实测。当线路与交叉跨越物的交叉角较小时，其中线与边线的跨越点可能相距较远，因此边线的跨越以及风偏影响往往会被疏忽，所以调绘时要特别注意这些问题。

为确定平面位置的有关调绘内容要求说明如下：建(构)筑物的用途是区分住人、仓库或是牲口圈；道路含公路和铁路，公路路面材料应区分水泥、沥青或砾石；水系含河流、湖泊和水库等；经济作物如甘蔗、果树和茶树等；森林的调查调绘工作应在像片上相应位置标出树木的种类、高度。少数民族宗教信仰设施或祭祀设施、祠堂、民俗林木、求雨台等特殊地物应注意调绘。

8.3 厂站工程像片调绘

8.3.1、8.3.2 综合判读调绘法的工作流程：先室内判读、再外业调查和定性，然后内业测图，最后外业对照检查、补漏改错；当采用先内业判读测图后野外调绘的方法时，应在野外对航测内业成图进行全面实地检查、修测、补测、地理名称调查注记、屋檐改正等项工作。不论采取哪种方法，对像片上各种明显的、依比例尺表示的地物，可只作性质、数量说明，其位置、形状应以内业体力模型为准，调绘片应分色清绘。

8.3.3、8.3.4 架空线路测量中，同一杆上有各种线路时，表示其中主要的线路；同时有高压线和低压线时，只表示高压线。实地要会区分高压、低压、通信线等线路性质。变电站内的电杆、支架一般不表示，只绘放电符号即可，有名称的要注记名称。

检修井、污水箅子等一般要表示，按图式上相应符号表示。实地调查时可以通过检修井盖上的标识辨认其属性，如下水井盖上有“雨水”、“排污”等字样，上水井盖上有“自来水公司”等字样。其他如电信检修井、电力检修井、煤气检修井等均有相应文字标识或者对应的花纹图案。

1：500、1：1000 比例尺地形图，房屋应逐个调绘表示，一般不综合，逐个注明建筑材料和层数，临时性建筑物可舍去。简单房屋要从左下角至右上角绘斜线，建筑中房屋注“建”或“J”，棚房注“P”，破坏房屋注“H”等。房屋表示均以墙基为准，故而在野外要对房屋进行房檐改正。需要时还应调绘房屋附属设施，如阳台、檐廊、挑廊、廊房、柱廊、门廊等。

围墙在1∶500、1∶1000图上采用依比例符号表示，在图上宽度小于0.5mm时，用0.5mm的围墙表示。1∶2000图上围墙一般采用不依比例尺符号表示。篱笆、铁丝网、栅栏等均用相应的符号表示。临时性的或次要的、不正规的可不表示。街道中间或两旁的隔离栏杆一般不用表示。

河流应调查名称、流向等。对于河流、湖泊、水库、池塘和海岸线的水涯线，一般按摄影时的水涯线绘示，若摄影时间为枯水期，可在野外实地调绘出一个常水位点，刺在像片上，再由内业采集水涯线。有名称的要调注名称。水渠、贮水池等以坎沿为准清绘。

对于大面积的、成片分布的植被，调绘时用红色清绘地类界。里面用红色文字作简要说明，也可用符号表示。整张像片上如果只有一种植被(土质)，可以在片边加注统一说明。地类界与地面上有实物的线状符号(如道路、水渠、陡坎等)重合，或者平行且间隔小于2mm时，地类界可省略不绘。当与境界、管线符号重合时，地类界符号移位0.2mm绘出。树林、竹林、灌木等外业调绘时需量注平均高度，以供内业采集等高线。

各级境界调绘应在实地进行，并经慎重调查，多方核实确认无误方可绘于图上。县(区)级以上境界应绘出，村界、乡(镇)级境界、国营农(林、牧)场界应按用图需要调绘。两级以上境界重合时，应绘高级境界符号，同时注出各级名称。

8.3.5 影像模糊地物、被影像或阴影遮盖的地物、新增地物，应在调绘像片上进行补调，补调方法可采用以明显地物点为起始点的交会法或截距法，补调的地物应在调绘像片上标明与明显地物点相关的距离。凡是已拆除或实地不存在的地物(地貌)，临时堆建物或者影像似是而非，成图又不必表示的东西要逐个打“×”；整片拆除的可以不必逐个打“×”，以地类界圈出范围，内用红色注记说明：“内部原地物已全部拆除”，内业不必采集。正在施工的区域注“施工区”，施工区内有固定建筑的要定性定位补调，建设中的房屋注“建”。

9 空中三角测量

9.1 一般规定

9.1.1 随着计算机技术及其应用的发展以及数字图像处理、模式识别、计算机视觉等学科的发展，摄影测量经过了模拟摄影测量、解析摄影测量的历程，进入数字摄影测量阶段。当前，空中三角测量作业均采用数字摄影测量系统。

9.1.2 空中三角测量是数字摄影测量过程中承上启下的关键环节，简称“空三”。空三所需资料的完整性、准确性决定空三成果的精度。因此，空三前应获取相关资料，并对其进行分析。空三所需的资料可归结为：航空摄影资料、外业成果资料和搜集的资料三大部分。

航空摄影资料：包括航摄仪鉴定表、航摄资料检查验收报告、影像数据文件、像片索引图、外方位元素成果数据等。一方面可以让空三加密作业人员了解和掌握航片整体的摄影质量情况，以及各张像片的具体质量情况（如倾角、旋偏角及重叠度等），另一方面为作业人员提供必要的输入参数（如主距、航高、内方位元素、外方位元素、镜头畸变差等数据）。

外业成果资料：包括控制和调绘的像片及相关成果等资料，是供空三加密、成果分析及差错处理的资料。

搜集资料：包括地形图及测区已有的控制成果资料。依据相关资料对测区进行整体分析、图解控制（如需要）、检查外业成果等。

9.1.3 空三加密作业员，在接收各类资料之后，应检查资料项目与内容是否齐全，并分析这些资料是否能满足内业加密和测图的要求。

9.2 内 定 向

9.2.1 扫描数字化航摄影像与数码航摄仪影像均需进行内定向，不同的是数码航摄仪影像由于经过畸变纠正，其内定向框标坐标残差绝对值一般为0，扫描数字化航摄影像因经过压平、扫描等处理，内定向框标坐标残差绝对值一般不为0，但最大不得超过0.015mm。

9.2.2 内定向超限时，应分析原因，采取补救措施，如内定向超限问题无法得到有效解决，会直接影响空三精度。

9.2.3、9.2.4 这两条参考了《数字航空摄影测量 空中三角测量规范》GB/T 23236—2009中的规定。扫描数字化航摄影像与数码航摄仪影像进行内定向时应采用仿射变换进行框标坐标计算，但由于扫描数字化航摄影像属于光学胶片成像，在进行像点坐标量测时需考虑像主点位置、航摄仪物镜畸变、大气折光、地球曲率等系统误差的影响，且由于不同航摄仪的焦距、像主点位置、框标坐标、物镜畸变的使用区别，需根据航摄仪鉴定资料建立正确的相机文件；而数码航摄仪影像经过畸变纠正，因此在进行像点坐标量测时仅需考虑焦距、像素大小、像素行数/列数、像素值参考位置等航摄仪鉴定资料，并注意影像坐标系统的方向定义。

9.3 相 对 定 向

9.3.1 相对定向连接点提取分为两种方式，一种是先按照标准点位提取连接点，然后对标准点位上的连接点进行人工编辑，另一种是全自动提取连接点。为保证模型连接稳定可靠，人工编辑方法需将连接点均匀分布，且每个标准点位均应有连接点，全自动提取方法需确保每个像对拥有足够的连接点，并确保连接点质量。

9.3.2 全数字摄影测量系统能够方便选取大量的连接点，因此，对连接点的位置要求可适当放宽，但为了保证成图精度的均衡，在标准点位由于某种原因无法选取连接点时，应在其周边均匀选择连接点。

扫描数字化航摄影像来源于胶片航摄，摄影方式为中心投影，影像边沿变形较大，且清晰度较差，因此，连接点距离影像边缘应大于1.5cm；而数码航摄影像的摄影方式不同，在精确改正畸变差的基础上，连接点距离影像边缘可放宽至0.1cm。

9.3.3、9.3.4 在区域网空三中，通常需要通过人工选择初始连接点的方式，保证航线有效连接的基本点数，同时，适当增加人工连接点个数，亦可提高航线连接的精度与可靠性。在有外方位元素等辅助参数时，则可利用参数进行自动航线连接。

9.3.5 本条参考了《数字航空摄影测量　空中三角测量规范》GB/T 23236—2009和《低空数字航空摄影测量内业规范》CH/Z 3003—2010。当相对定向后模型中连接点上下视差较大时，会降低空三精度，导致在立体环境中无法准确量测；当存在模型连接较差时，导致相邻像对中同一地物坐标不一致，降低空三精度，故相对定向时需严格检查相对定向精度。

9.3.6、9.3.7 航测成图可利用数码或胶片影像资料，当测绘相同比例尺地形图时，数码航摄影像的比例尺分母一般是胶片航摄影像比例尺分母的2倍。为了满足成图精度，数码航摄影像的模型连接较差限值必须小于扫描数字化航摄影模型连接较差限值的1/2。

9.4 绝对定向与平差计算

9.4.2、9.4.3 输电线路工程中，对于连接点相对于最近野外控制点的平面点位中误差的要求，按照输电线路工程内业测图地物点的点位中误差的1/2取值；对于连接点高程中误差的要求，按照输电线路工程内业测图断面点高程中误差的1/2取值，丘陵地适当放宽。

9.4.4、9.4.5 厂站工程中，对于连接点相对于最近野外控制点的平面点位中误差的要求，按照厂站区图上地物点点位中误差的1/2

取值；对于连接点相对于最近野外控制点的高程中误差的要求，与高程注记点精度相同。

9.4.6 本条与《数字航空摄影测量 空中三角测量规范》GB/T 23236—2009的要求基本保持一致。

9.4.7、9.4.8 检查点和区域网公共点的平面点位中误差和高程中误差计算时，以外业实测作为真值，算出其与航测内业测量值的差值，从而计算出其中误差。

9.4.9 IMU/GNSS辅助空中三角测量和GNSS辅助空中三角测量，在进行数据预处理时，已按相关精度要求完成IMU和GNSS数据联合解算，得到IMU偏心角以及线元素偏移值、外方位元素等成果。可将解算出的外方位元素作为空三解算初始参数，进行空三加密作业。

9.5 提交资料

9.5.1 本条规定了空中三角测量完成后需提交资料的内容和要求。其中，成果清单包含本批次提交空三成果的全部数据，方便查阅并掌握工程整体情况；连接点或测图定向点像片坐标和大地坐标、每张像片的内、外方位元素等可保证后续DEM、DOM制作、内业数字测图及三维辅助优化设计平台建立等工作的顺利开展；空中三角测量报告应完整记录工作成果、结果精度等，以方便工程资料归档与查询。

10 数字高程模型建立

10.1 一 般 规 定

10.1.1～10.1.3 数字高程模型是制作正射影像的重要数据。输电线路工程通常使用数字高程模型提取中心线、左右边线制作简易断面，进行杆塔规划和杆塔排位；厂站工程可以很方便地利用 DEM 进行填挖方平衡的计算和土石方量的计算；三维场景通常是利用 DEM 数据构建三维地形，在三维设计中应用较为广泛。目前数字高程模型的获取方式有常规的航空摄影测量和机载激光雷达扫描（airborne LIDAR）的方法。机载激光雷达扫描是直接获取精准数字高程模型更加有效的方法，使用该技术可参考现行行业标准《机载激光雷达数据处理技术规范》CH/T 8023 和《机载激光雷达数据获取技术规范》CH/T 8024 的相关规定。本标准规定了使用数字摄影测量方法建立数字高程模型的相关要求。

10.1.4 目前，根据使用的数字摄影测量系统的不同，常见的数字高程模型有海拉瓦系统生成的 ASC 格式、四维远见 JX－4 生成的 DEM 、适普 VirtuoZo 生成的 DEM 以及 ESRI 公司的 ArcGrid 等格式。由于电力行业应用的特殊性，DEM 数据为过程产品，数据格式并不严格要求其符合国家标准。

10.2 输电线路工程数字高程模型建立

10.2.1 输电线路工程在初步设计选线常用的正射影像图的比例尺为 1∶10000，地面分辨率不低于 1m。考虑到计算机硬件和数字摄影测量系统的发展，以及测绘行业标准《基础地理信息数字成果 1∶5000、1∶10000、1∶25000、1∶50000、1∶10000 数字高程模型》CH/T 9009.2—2010 中的相关规定，将《330kV～750kV 架空输电线路勘测规范》GB 50548—2010 中的 DEM 格网间距要求由 10m 提高到 5m。

10.2.2、10.2.3 参照《基础地理信息数据成果 1∶500、1∶1000、1∶2000数字高程模型》CH/T 9008.2—2010 相关内容，结合线路工程特点将精度要求分为三个等级。线路边线范围内的 DEM 数据精度直接影响杆塔排位方案，所以要求为最高等级；因风偏等原因线路附近的地物高程精度对线路方案影响较大，所以精度要求为不低于二级；而其他区域由于对线路影响较小，精度满足三级要求即可。

10.2.4、10.2.5 输电线路工程航摄区域较大，数字高程模型通常采用自动提取方式（ATE）生成，然后人工检查编辑，重点要检查线路附近区域。根据数字摄影测量系统的不同，其提供的编辑工具也各不相同。

10.3 厂站工程数字高程模型建立

10.3.1、10.3.2 参考《基础地理信息数据成果 1∶500、1∶1000、1∶2000 数字高程模型》CH/T 9008.2—2010 以及《基础地理信息数字成果 1∶5000、1∶10000、1∶25000、1∶50000、1∶1000000 数字高程模型》CH/T 9009.2—2010 的相关内容，根据电力工程的特点，在满足设计用图要求的前提下，相对测绘行业标准对 DEM 格网间距要求适当放宽，对不同比例尺的 DEM 格网间距及高程精度作了相应规定。

10.3.3 厂站工程通常要通过数字测图测量数字线划图（DLG），为保证 DEM 精度，可以利用 DLG 构三角网（TIN）后内插生成。用以构 TIN 的 DLG 数据应包括等高线、特征点（山头、洼地、鞍部等地形特征点）、特征线（包括山脊线、山谷线、面状水域水涯线、断裂线等）。为保证格网点精度要求，平坦地区应增加高程点采集数量，点位选择为铺装路面、地势变换处、面状水域水涯线等。

10.3.4 由于厂站工程测量作业范围相对线路工程较小，且高程精度对工程设计和建设影响较大，所以要求对高程精度进行外业检查。

11 数字正射影像图制作

11.1 一般规定

11.1.2 本条对制作DOM的影像资料获取方法及影像的质量和现势性提出了要求。

11.1.3 DOM地面分辨率的规定主要是为了保证DOM质量，考虑满足地形图的图根点相对于邻近等级控制点的点位中误差不应大于0.1mm的指标。

11.1.4 基于地形图的精度要求，本条规定了DOM的平面位置中误差。

11.1.5 本条规定了DOM影像的分辨率。

11.1.6 影像缺陷包括：影像的纹理不清、噪声、影像模糊、影像扭曲、错开、裂缝、漏洞、污点、划痕等。

11.1.7 本条规定了DOM数据的存储格式。

11.2 正射纠正

11.2.1 本条规定了影像重采样的方法。

11.2.2 本条规定了使用DEM纠正正射影像的方法。

11.2.3 本条规定了用于数字正射影像几何纠正的DEM数据应满足的精度要求。

11.2.4 本条规定了纠正范围的选择。

11.2.5 对纠正后的影像进行逐片检查，对影像模糊、错位、扭曲、变形、漏洞等问题可利用数字摄影测量系统进行点、线、面等方式的立体编辑。对于高架桥、立交桥、大坝等引起的影像拉伸和扭曲，可采取修改DEM数据，使高架桥、立交桥、大坝的高程与高架桥、立交桥、大坝相匹配，然后将修改后的DEM数据对影像进行重新纠正。

11.3 正射影像镶嵌与裁切

11.3.1 本条规定了正射影像镶嵌的接边误差指标。

11.3.2 选取镶嵌线时,宜沿平坦线状地物(如道路、水系)边缘选取,镶嵌线应尽量避开大型建筑物和影像差异比较大的地方。

11.3.3 完成正射影像之间镶嵌后进行影像处理时,可采用整体处理和局部处理相结合的方法进行。整体处理用于调整影像色调的整体偏色,局部处理用于处理局部色调不均、拼接痕迹严重等问题。

11.3.4 本条规定了正射影像裁切的要求。

12 内业数字测图及检测与修正

12.1 一般规定

12.1.2 架空输电线路数字摄影测量内业测图精度按照1∶2000比例尺确定，本条参照现行行业标准《火力发电厂工程测量技术规程》DL/T 5001中关于地形图精度的规定制定。

12.1.3 本条参照《1∶200 1∶1000 1∶2000地形图航空摄影测量数字化测图规范》GB/T 15967—2008第3.2.2条的规定，结合电力行业多年的实践确定。

12.1.4 地形图的比例尺，反映了用户对地形图精度和内容的要求，是地形测量的基本属性之一。

由于用图特点的不同，用图细致程度、设计内容和地形复杂程度也不尽一样，针对不同情况应选用相应的比例尺。本规范规定地形图的比例尺，应按设计阶段、规模大小和运营管理需要选用。

本规范1∶500～1∶5000比例尺系列地形图，基本概括了工程测量的服务范畴。目前，大量的1∶1000比例尺地形图，已用于各专业的施工设计，所以1∶1000比例尺地形图应为施工设计的基本比例尺图。但是，还有不少电力工程的施工设计，也采用1∶500比例尺地形图，其主要原因在于：1∶1000比例尺的图面偏小，并不是因为其精度不够。对于扩建厂区，由于建筑密集，精度要求高，内容也复杂，也要求提供1∶500比例尺。根据目前现状，本标准仍把1∶500比例尺列为常用测图比例尺。1∶2000也是较常用的测图比例尺，1∶5000比例尺地形图一般为规划设计用图的最大比例尺。

12.1.5 地形图的分幅及编号方法，是工程测量部门历年来经验的总结，其形式简单，使用方便，已为广大用户和测量部门所接受。

12.1.6 地形图图上地物点相对于邻近图根点的点位中误差，主要是根据用图需要和工程测量部门测图的实际情况确定的。本条指标参照现行行业标准《火力发电厂工程测量技术规程》DL/T 5001中关于地形图精度的规定制定。

12.1.7 本条参照《工程测量规范》GB 50026—2007 第 5.1.5 条的规定制定。

12.1.8 地形图注记点高程中误差是根据三角测高计算公式推导计算，并考虑地形类别、采样点位置和密度、插值算法及测量方法等方面因素确定。

12.1.9 管线平断面图测绘比例尺一般为水平 1∶1000、垂直 1∶100，根据设计或用户的需要，也可以是其他比例尺。断面图里程、桩间距离、桩位高程、转角度等注记参照设计要求确定。电力工程中主要有取排水管线、灰管线、公路等断面。

12.2 输电线路工程数字测图

12.2.1 项目开始前，应进行目录及文件编号设计，按照所采用的图形编辑软件的要求统一文件编号。

12.2.2 平面及断面测量前应搜集和准备相关资料。

12.2.3 设计需要时，应搜集或施测线路的起讫点和变电所相对位置的平面图。初步设计阶段，已经搜集或实测的平面图能满足要求时也可以直接利用。

12.2.4 根据多年的生产经验，测量房屋的边界以滴水房檐为界线，在房屋拆迁中计算面积比较合理，减少纠纷。

12.2.5 随着高程建设精细化程度的提高，房屋信息统计时应尽量全面准确，楼层应统计到 0.5 层。

12.2.6 中线断面点的选取直接与设计排位有关。断面点的选取，应根据导线弧垂对地面安全距离确定，应能反映地形变化特征和地物的位置。对于山区地形，若导线最大弧垂对应为深凹山谷，其断面点可少测或不测，而在离塔位 1/4 档距区段内，地形高差变化大,导线轨迹对地切线变化也较大,应加密测点。

12.2.7 由于线路导线为并列排列,边导线对地净空安全距离的要求和中线同等重要。边导线对应的地形高出中线地形 0.5m 时,应测绘边线断面。对于直流输电线路,因为只有两排平行的分裂导线,分挂在塔的两侧,无中间导线,但为了勘测与设计实用考虑,仍与测绘交流线路各项要求相同。边线偏距由设计人员确定。当输电线路通过缓坡、梯田、沟渠、堤坝交叉角较小时,高出中线 0.5m 的边线较长,应注意选测边线位置。

12.2.8 由于业主和环境保护的要求,输电线路在跨越林木时多采用高跨的方式,这就要测量林木高度断面线。对路径跨越植被品种、范围、高度等应详细测绘调查。并在其断面线下标注林木符号,以区别三条主断面线符号。

12.2.10 考虑导线受最大风力作用产生风偏位移,对接近的山脊、斜坡、陡岩和建(构)筑物由于安全距离不够而构成危险影响。为保证电气对地有一定的安全距离,应施测风偏横断面或风偏危险点,其施测风偏距离可按下式估算:

$$S=d+(\lambda+f)\alpha\sin\eta \tag{7}$$

式中:S——风偏距离(m);

d——导线间距(m);

λ——绝缘子串长度(m);

f——设计最大风偏时风偏处的弧垂(m);

η——导线最大风偏角;

α——安全距离(m)。

在等效档距导线弧垂最低点,风偏影响施测的参考最大宽度见表 4:

表 4 等效档距时风偏影响施测的最大宽度

档距(m)	300	400	500	600	700
离线路中心线的水平距离(m)	24	28	32.5	38.5	46

对于悬岩峭壁之类，考虑导线最大风偏，凡在危险风偏影响内，应在断面图上标注出危险点。标注方式如下：

$$\frac{\text{测点高程(m)}}{L(R)\text{测点垂直于线路中心线的水平距离(m)}}$$

注：L—表示左边，R—表示右边。

因考虑导线最大风偏和电场场强影响，应测示屋顶，屋顶材料标注于断面图上，并标注出危险点，标注方式如下：

$$\frac{\text{测点高程(m)}}{L(R)\text{测点垂直于线路中心线的水平距离(m)}}$$

在断面图中的平面图栏，应绘出相应平面位置图。对于房屋是尖顶或平顶，应在纵断面图上加以区别。

风偏横断面各点连线应是垂直于输电线路的纵向，见图 3。而在山区，输电线路的纵向多数与山脊呈斜交，见图 4。

对于第一种情况应按本标准有关规定及图示测绘，对于第二种情况根据电气影响范围适当选测点位，以风偏点形式表示。

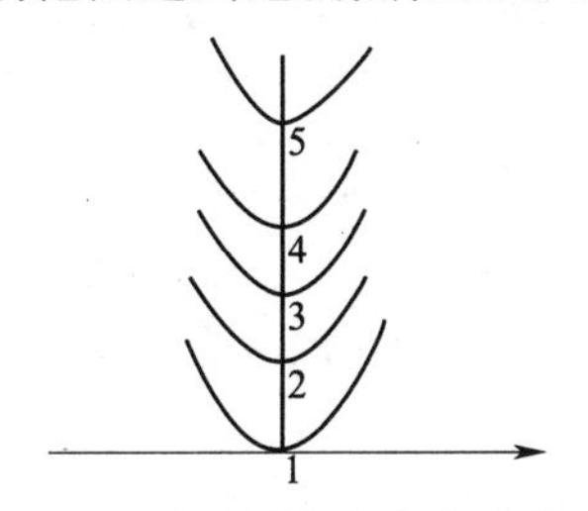

图 3　线路纵向与山脊垂直

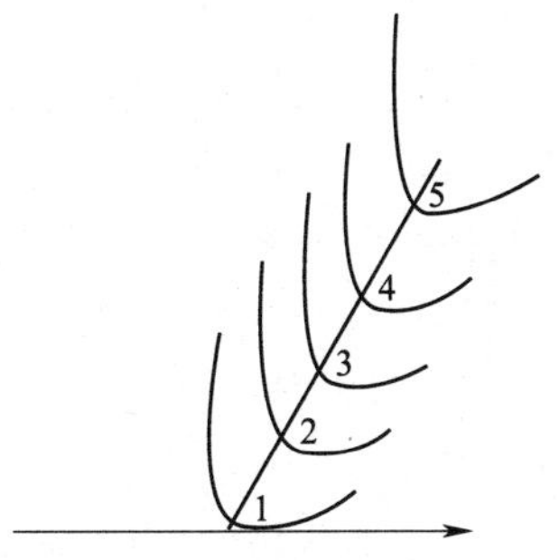

图 4　线路纵向与山脊斜交

12.3 输电线路工程图件检测与修正

12.3.1 巡视检查十分重要。对于平地主要察看有无重要地物和交叉跨越物遗漏。对山区地形，主要察看是否有山头漏测，判断边线、风偏点漏测和测点不足等情况。

12.3.2 内业提供的空中三角测量成果反映了线路航线的成图精度，为外业有针对性布设检测点提供参考。同时，植被的密集程度对内业测图影响很大。由于遥感航摄数据受多种因素的影响，内业断面数据与野外实地测量数据不符，需要进行断面检测。

断面修正宜采取线性插值方法，利用野外测量的多个断面点，对断面点间的航测断面进行线性内插。对一段差值断面内的多个连续工测断面点进行一次线性内插叫作区域线性插值；对不多于3个检测断面点进行一次线性内插叫作局部线性插值。

局部线性插值：以部分检测点对局部断面进行选择性线性插值。

区域线性插值：以全部检测点对选择检测点区域断面进行线性插值。

12.3.3 断面修正控制点宜为断面桩位，一般结合杆塔预排位情况布设。

12.3.4 由于航测内业测图成果的精度受到各种因素的影响，为保证工程质量，应布设一定数量的断面修正控制点对断面进行检测和修正，断面修正控制点可根据内、外业的实际情况及设计排位的情况进行布设。对于植被稀少区域，在模型差均匀情况下，检测点可均匀布设。植被密集区域，检测点应布设在对导线弧垂控制有影响的区域。以控制对杆塔排位的影响。

平断面图航测断面应根据断面修正控制点修正。将断面修正控制点导入平断面图，对断面图的高程符合情况进行统计分析，当精度满足本标准第12.1.3条规定时，以断面修正控制点高程数据为基准，对航测断面数据进行线性插值修正或局部修正；当精度不满足本标准第 12.1.3 条规定时，应消除粗差和系统误差，在精度满足要求后，可对断面进行修工，如仍不满足规定时，应查找原因并重新测绘平断面图或现场重测。

12.3.5 关键断面点根据设计排位情况布设，一般布设在线路导线弧垂对地或建(构)筑物控制区域地段和其他有影响的地段。

12.3.6 经过修正后的平断面图，在进行野外定位前，测量人员宜取得有杆塔排位的平断面模型文件，和设计人员一起，对线路导线可能有影响的断面进行标记。在定位后要将定位时的关键断面检测点数据导入平断面图，当其差值满足 12.3.6 的要求时，根据情况进行局部修正或不修正；当其差值不满足 12.3.6 的要求时，应进行修正，并将修正后的断面再次提交给设计人员，同时在记录表上记录修正断面的情况，以备日后检查。

12.3.8 根据输电线路测量的特点，做到经济合理、安全可靠，只对房屋(建筑物)拟拆迁处左右 3m 提高测量精度。根据电力行业各单位多年的实践，规定其点位中误差不大于 0.1m。对不影响拆迁的地物及边导线安全距离内的地物，地物类型按次要地物，其技术要求按 1∶2000 地形图精度，采用现行行业标准《火力发电厂工程测量技术规程》DL/T 5001 中关于地形图精度的相关规定制定。

12.3.9 导线弧垂对地或建(构)筑物控制区域，不拆迁但有影响的建(构)筑物，按 1∶2000 地形图建筑区中误差作为差值限差(即 1.2m)。

12.3.10 跨越尖顶房(屋顶无人活动)和平顶房(屋顶有人活动)电气距离要求不同，因此房屋分布图应包含屋顶形式的内容。

12.3.12 林木高度等信息应在现场详细调查，树高可以采用仪器测量或花杆丈量。

12.4 厂站工程数字测图

12.4.10 管线断面测量施测管线中心断面，一般要求中心断面线是连续的。对内业无法采集断面的地方，一般要求外业进行补测，当野外无法采集断面数据时，应在平面图上进行注记说明。

12.5 厂站工程图件检测与修正

12.5.4、12.5.5 根据数理统计学大数原理，为了获得十分接近真实值的估计量，随机抽样数量应达到50以上，本条根据此原理作出规定。本节规定的目的在于分析和掌握内业测图质量，作为补测和修测的依据，并不涉及产品质量评定和验收，其相关要求可参考现行国家标准《数字测绘成果质量检查与验收》GB/T 18316。

12.5.6 测区图幅数少于12幅时，仍以图幅为单位进行抽样检查的话，抽出的图幅数不足3幅，评价结果可能偏离实际质量水平。此时以整个测区为单位，统一进行抽样检查，能够更准确地反映整体的测图精度和质量。

12.5.10 由于管线断面比地形图精度要求高，为满足设计土石方计算与定位要求，一般都要对航测断面进行线性插值修正，以提高航测断面的精度，检测采用全站仪或GPS等测量仪器进行。要求外业检测数据与内业断面数据误差不超过1倍中误差时，可不进行断面修正，否则，应进行断面修正。修正方法可采用局部断面线性插值。

13 三维辅助优化设计平台建立

13.1 一 般 规 定

13.1.1 三维辅助优化设计平台包括硬件平台、系统软件平台、应用软件平台、数据库。硬件平台、操作系统和数据库管理系统软件平台均为成熟的商品，合理选择即可。应用软件平台需要针对输电线路路径优化和厂、站址优化的需求进行开发。数据是三维辅助优化设计平台的核心，数据精度、现势性、安全性等指标直接关系到优化效果和成本。所以，三维辅助优化设计平台建立给出原则，然后针对应用软件开发和数据进行详细规定。

13.1.2 输电线路是线状走廊，一般涉及范围较广；厂、站工程是面状区域，一般涉及区域较小。各自使用的数据、工具、关注因素不尽相同，宜分别建立三维辅助优化设计平台，提高平台的针对性和运行速度。

13.1.3 权限设置，是为了保证数据的安全和可追溯性。按专业设置权限，口令控制。测量专业具有DEM、DOM、控制点数据、调绘数据的输入、修改权限，相应功能菜单、工具可用。设计专业具有DEM、DOM、控制点数据、调绘数据等的使用权限，没有修改权限，输入、修改功能菜单、工具不可用。

13.1.5 220kV及以上电压等级输电线路一般包括可行性研究、初步设计、施工图设计阶段。初步设计审查后，在批准的初步设计路径基础上进行设计优化，既可以使路径成立得到保证，又可以减少优化的工作量。

13.1.6 220kV及以上电压等级变电站一般包括可行性研究、初步设计、施工图设计阶段。系统专业一般选择2个～4个站址，可行性研究阶段从中选择推荐站址，所以站址三维优化设计在可研阶段实施比较合适。火力发电厂一般包括初步可行性研究、可行性研究、初步设计、施工图设计阶段。初步可行性研究阶段一般根据系统规划和电源规划初步选择2个厂址，可行性研究阶段从中确定推荐厂址，所以厂址三维优化设计在可行性研究阶段实施比较合适。风电场一般包括风能规划、可行性研究、初步设计、施工图设计阶段。风能规划阶段确定风电场的范围，可行性研究阶段在风电场的范围内布置风机、集电线路、升压站、施工运行道路，所以风电场三维优化设计在可研阶段实施比较合适。

13.2 输电线路三维辅助优化设计平台建立

13.2.1 本条在第13.1.3条规定基本功能的基础上，细化和补充了输电线路三维辅助优化设计软件平台的功能，为输电线路三维辅助优化设计软件平台的开发提供帮助。

13.2.3 DEM主要用作三维立体模型生成和提取概略平断面图。输电线路的航飞比例尺为1∶8000～1∶14000，综合考虑精度与效率DEM数据格网定为不宜大于10m；二调1∶10000成图比例尺的航飞基本已经覆盖全国，综合考虑精度与可操作性，所以最大放宽到15m。

13.2.4 DOM主要用作三维立体模型生成和优化过程中判读、生成优化后路径图。输电线路的航飞比例尺为1∶8000～1∶14000，综合考虑精度与野外携带的方便性，DOM数据比例尺定为不宜小于1∶10000；考虑到线路选线1∶50000比例尺地形图即可满足要求，所以最小放宽到1∶50000。

13.3 厂站工程三维辅助优化设计平台建立

13.3.1 本条在第13.1.3条规定的基本功能的基础上，细化和补充了厂、站址三维辅助优化设计软件平台的功能，为厂、站址三维辅助优化设计软件平台的开发提供帮助。

14 地面摄影测量

14.1 一 般 规 定

14.1.1 本条对地面摄影测量适用范围作了规定。地面摄影测量用于地形测量有一定的局限性，考虑到工效和立体效应，平地一般较少采用。在高山地，特别是难以到达的陡坡险地、悬崖峭壁，采用地面摄影测量测图速度快、精度高，同时又能减轻人工测图劳动强度，避免发生人身伤亡。

14.1.3 数字地面摄影测量与模拟、解析地面摄影测量的区别在于：处理的原始影像不仅可以是像片，更主要的是数字影像或数字化影像。随着数字地面摄影测量技术方法的改进，地面摄影测量可以使用基于 CDC 的固态摄像机，包括普通摄像机和数码相机。

14.2 摄站及像控点布设

14.2.1 地面立体摄影测量对布设基线时应考虑的原则。

1 摄影基线的确定。

(1)关于 $B_{最短}$ 的确定。

已知 $m_Y=\pm\frac{Y^2}{B\times f}\times m_p$ (8)

设 $m_p=\pm0.01mm$。

在内业仪器上测定 Y 的中误差 m_Y，规定不得大于图上 0.4mm，代入上式得 $0.4M=\frac{Y^2}{B\times f}0.01$，所以：$B_{最短}=\frac{Y^2_{最近}}{40M\times f}$。

将 $f=0.2m$ 代入得：$B_{最短}=\frac{Y^2_{最近}}{8M}$。式中 Y 为摄影纵距(m)，B

为摄影基线(m);将 $f=0.1\text{m}$,代入得 $B_{最短}=\frac{Y_{最近}^2}{4M}$。

(2)关于 $B_{最长}$ 的确定。

人的双眼间距 b 一般为 65mm,双眼观察的明视距离 D 为 250mm,则双眼视线的立体交会及立体效应比较正常,如图 5 所示。

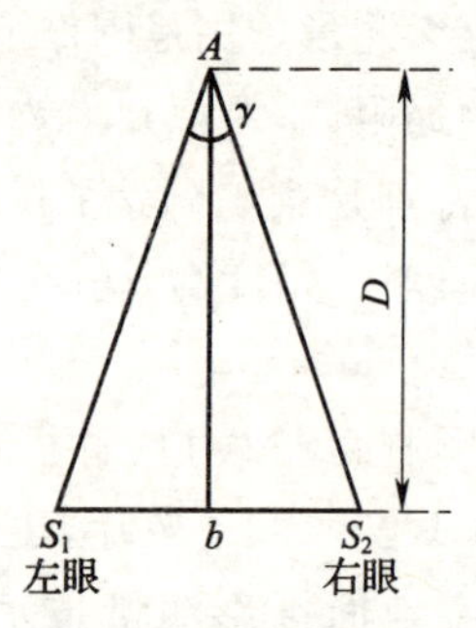

图 5　双眼立体观察

$$\tan\frac{\gamma}{2}=\frac{\frac{1}{2}b}{D}=\frac{32.5}{250}=0.13$$

$$\frac{\gamma}{2}=7°24'25''$$

$$\gamma=14°48'50''\approx15°$$

相应的立体摄影的两相应光线交于 A 点,可得在相应的 $\gamma=15°$ 情况下,$\tan\frac{\gamma}{2}=0.13=\frac{B}{2Y}$,所以 $B_{最长}=\frac{Y_{最近}}{4}$。

如 $B_{最长}>\frac{Y_{最近}}{4}$ 则为不正常情况,立体效应下降,人的双眼立体观察会感到疲劳、难受,不宜采用。

在 $Y_{最近}$ 处左右像片的重叠为 70%。

2　两摄影站之间高差的限定。

在 $Y_{最近}=4B$ 处高差为 $\frac{B}{5}$,在像片上的成像间距为 1cm。

在物镜位置下移 4.5cm 情况下，为避免像主点落入像片边缘 0.5cm 范围内，故两摄影站之间高度差不得大于$\frac{B}{5}$。

6 摄影纵距 $Y_{最远}$ 的限定。

地面立体摄影测量所使用的内业立体测图仪一般为三级精度仪器，为保证内业测定精度，允许最小影像比例尺放大 4 倍成图，即：

$$m=4M \tag{9}$$

式中：m——$Y_{最远}$ 处影像比例尺分母。

用 $m=\frac{Y}{f}$ 代入上式得 $Y_{最远}=4M\times f$。

8 关于摄影基线 B 测定的相对精度要求。

由 $Y=\frac{B}{P}\times f$ 取微分得：$\mathrm{d}Y=\frac{f}{p}\times \mathrm{d}B$，转为中误差：

$m_{\mathrm{Y}}=\frac{f}{p}\times m_{\mathrm{B}}=\frac{Y}{B}\times m_{\mathrm{B}}$，移项后得 $\frac{m_{\mathrm{B}}}{B}=\frac{m_{\mathrm{Y}}}{Y}$。

规定 $Y_{最远}$ 处的测定中误差 m_{γ} 为 ± 0.4mm（图上），而 $Y_{最远}$ 允许为 $4Mf$，设 $f=0.2$m 代入得：

$$\frac{m_{\mathrm{B}}}{B}=\frac{m_{\mathrm{Y}}}{Y}=\frac{\pm 0.0004M}{0.8M}=\frac{1}{2000}$$

故相对精度不应低于 1/2000。

14.2.2 根据绝对定向要求，一个立体像对的控制点最少为 3 个，为了提高绝对定向精度和及时发现错误，本条第 2 款要求每个立体像对布设 4 点或 5 点，困难情况下可布设 3 点。规范中的图 14.2.2 所示的布设图形是根据有利于高精度确定外方位元素的原则制定的。

14.3 摄影及影像处理

14.3.1 使用量测像机摄影时应对相机进行事先检校，使用非量测像机摄影时，可不用求解内方位元素。

14.3.2 摄影全站仪是由数码相机与全站仪集成组成，其组成方式有两种，一种是将数码相机和全站仪直接连接；另一种是将数码相机的成像芯片 CCD 与全站仪集成。当使用直接连接的摄影全站仪时，每次相机拆卸后重装时都需进行自检校，求取相机外方位元素。

14.3.3 等偏摄影当偏角过大时，近景容易产生隐蔽空间，因此偏角不宜大于 31.5°。相邻像对之间应有 10%的重叠，防止近景出现谍影绝对漏洞。

14.4 像控点联测及调绘

14.4.1 像片控制点测量一般采用 GNSS 测量，对于人不易到达的明显地物点，也可以采用全站仪无棱镜测量。

14.5 内 业 测 图

14.5.4 绝对定向平面点位误差及高程误差的限差是根据理论估算值和实际工作的检测结果制定的。

理论估算

根据王之卓教授著《摄影测量原理》中的实用公式，平面中误差 m_{sl} 为：

$$m_{s1} = \pm 2.14 m_{量} \cdot k \tag{10}$$

取 $m_{量} = \pm 0.025$：$k=5$ 代入后，得：

$$m_{s} = \pm 0.268\text{mm}。$$

顾及野外控制点误差 m_{s0} 为 ±0.4mm，则：

$$m_{s} = \sqrt{{m_{s0}}^{2} + {m_{s1}}^{2}} = \pm 0.48\text{mm}。$$

高程中误差估算公式如下：

$$m_{h} = \sqrt{{m_{b0}}^{2} + \left(0.17 \frac{H}{b} m_{刺}\right)^{2} + \left(1.21 \frac{H}{b} m_{q}\right)^{2}} \tag{11}$$

H 为地面立体摄影测量的纵距 y，令其为 500m，$b=100$mm，m_{b0} 为像控点高程中误差，在平地、丘陵地、山地、高山地分别为

0.08m、0.17m、0.25m、0.33m。

$m_{刺}=\pm 0.05mm$，$m_q=\pm 0.02mm$，m_{b0}代入后，平地、丘陵地、山地、高山地地形绝对定向点高程误差分别是0.15m、0.20m、0.28m、0.33m，描绘误差较小，可忽略不计。

14.5.6 地面立体摄影测量的测绘精度主要由纵距Y的精度决定。如果控制点连线外已失去控制，测绘精度特别是Y的测绘精度会急剧下降，因此在第1款中要求测绘范围不得大于控制点连线外10mm。

15 资料整编及检查验收

15.1 一 般 规 定

15.1.1～15.1.4 测量成品由主勘人组织勘测人员自校修改后送校核人，应经审核、有关人员批准后，方可出单位。测量成品检查流程示意图见图6。

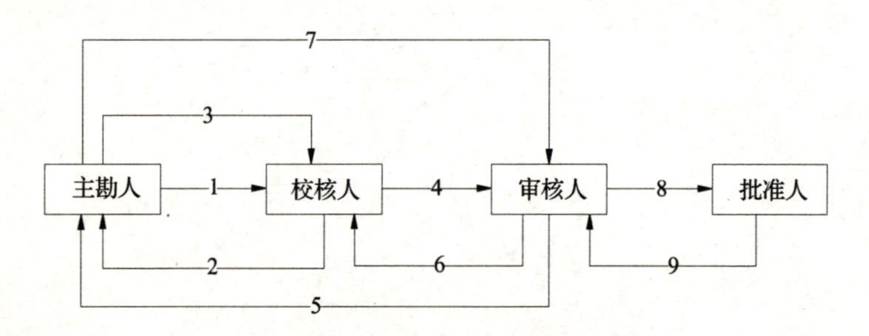

图6 测量成品检查流程示意图

测量成品的校审签署，应按各级校审人员的岗位职责，认真校审签署。测量人员按各级校审人员的意见执行，若测量对校审意见有异议时，应加以说明，并与检查人员协商，由检查人员签署最终意见。如双方无法达成一致意见，可由上一级检查人员裁定。高级别的人员可往下审签低级别的成品。